KB087070

수백판
100
워크북 1

백살이 되어도 잊혀지지 않을 수백판이고 싶어요.

제가 어렸을 때 저에게 수를 가르쳐준 분은 돌아가신 할아버지셨어요. 시골에 계신 할아버지 댁에 놀러 가면 할아버지는 늘 저를 위해 아궁이의 불씨 속에 고구마를 몇 개씩 넣어두시고는 저를 옆에 앉히고 지긋이 기다리셨지요. 할아버지는 시커먼 막대로 흙바닥에 수를 하나하나 쓰시면서 처음에는 하나부터 열까지, 그다음에는 열하나부터 스물까지 가르쳐주셨답니다. 어린 제 눈은 오직 달콤하게 익어가는 군고구마에 꽂혀 있었지만, 행여나 할아버지를 실망하게 하면 고구마를 받지 못할세라 열심히 "고구마가 열둘, 고구마가 열셋." 이렇게 되뇌고는 했어요.

시골집에 머무른 지 며칠이 지나고 마침내 할아버지가 가르쳐 준 수가 99 다음 수인 100에 이르렀을 때 저도 모르게 '백!'이라며 큰 소리로 외치고 말았답니다. 그때는 백이라는 수를 알게 된 것만으로도 세상을 다 알게 된 것 같은 기분이었어요. 시골집 마당에 열린 무화과 열매도 셀 수 있었고, 지붕 위에 말리고 있던 생선이 몇 마리인지도 헤아릴 수 있었으며 할아버지의 나이가 내 나이보다 얼마나 더 많은지도 알게 되었지요.

할아버지가 하나하나 꾹꾹 새겨서 써준 100까지의 수들은 수십 년이 지나서도 잊히지 않고 여전히 눈을 감으면 아라비아 수, 우리말로 읽은 수, 한자 말로 읽은 수가 소리와 함께 마치 어제 일처럼 선명하게 떠올라요. 제게 백이라는 수까지의 여정은 따뜻한 아궁이의 열기, 할아버지의 나긋나긋한 목소리, 익어가는 고구마의 향기와 함께 영원히 잊히지 않을 추억이랍니다.

제가 처음 수 100을 배웠을 때의 그 기쁨과 환희를 지금의 아이들이 똑같이 느꼈으면 하는 바람을 수백판이라는 클래식한 교구에 담아 보았어요. 수와 수학을 그저 어렵고 딱딱하고 재미없는 것으로 느끼지 않고, 수학을 처음 배웠을 때의 즐거움을 아이가 자라면서도 변치 않고 간직할 수 있었으면 하는 소중한 마음을 담아 재미있는 활동을 불어넣은 새롭고 멋진 수백판이라 자부한답니다.

이 책을 보고 계실 엄마, 아빠들은 수를 배우면서 저와 같이 기뻤거나 보람되었던 순간이 있었나요? 있었다면 언제, 어디서, 무엇을 배웠을 때였는지 다시 한번 찬찬히 떠올려 보세요. 그리고 그 소중한 기억을 재미있는 수백판 활동을 통해 아이와 함께 나누어 보는 건 어떨까요? 엄마, 아빠들이 어렸을 때 알게 된 백까지의 수를 우리 아이도 영영 잊지 않고 즐겁게 떠올릴 수 있게 말이지요.

수백판 교구를 설명할게요.

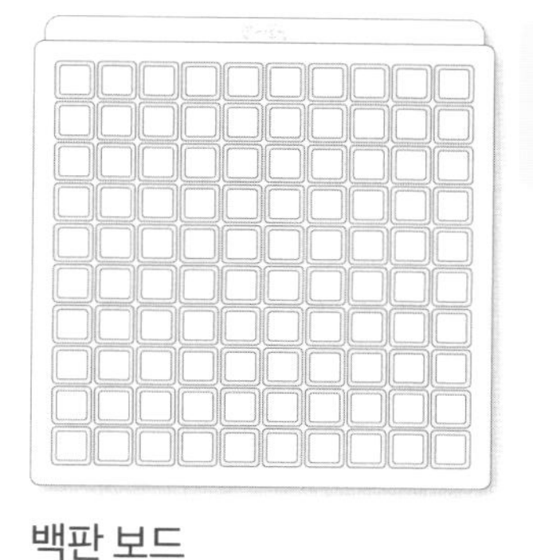

칩을 놓아 다양한
활동을 할 수 있어.

백판 보드

판 카드를 넣을 수 있어요.
수칩이나 색깔칩을 놓을 수 있어요.

1~100/10~1000
1장, 수 읽기/양 읽기
1장 총 2장이야.

판 카드 2장

백판 보드에 카드를 넣어 사용해요.
활동에 따라 앞면 또는 뒷면을 사용할 수 있어요.

연두색 수칩은 1~20의 수,
하늘색 수칩은 21~50의 수,
빨간색 수칩은 51~100의 수야.

수칩

1부터 100까지의 수칩이 있어요.
연두색, 하늘색, 빨간색 3가지 색깔의 수칩이 있어요.

주황색, 노란색, 초록색,
하늘색, 보라색 5가지
색깔칩이 있어.

색깔칩

규칙을 만들 수 있어요.
여러 가지 모양을 만들 수 있어요.
게임말로 사용할 수 있어요.

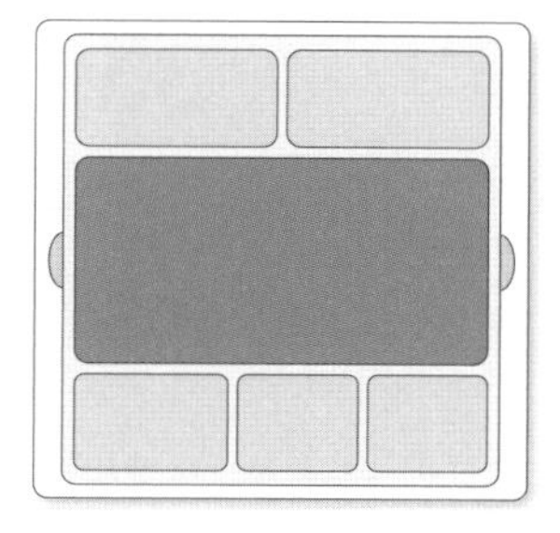

수백판 상자

활동할 때 수칩이나 색깔칩을 넣어 사용해요.
활동이 끝나면 교구를 모두 넣어 정리해요.

0~9와 00~90의
십면체 주사위, 1~20의

주사위

4종류의 주사위가 있어요.
크고 작은 수를 찾거나 조건에 맞는 수를 찾는 등
여러 활동에서 사용해요.

이 책의 차례

1부 20까지의 수

활동 1 20까지의 수

1부터 20까지의 수를 백판 보드에 놓아 봅시다.

1. 백판 보드에 1~100의 수가 보이도록 판 카드를 넣어요.

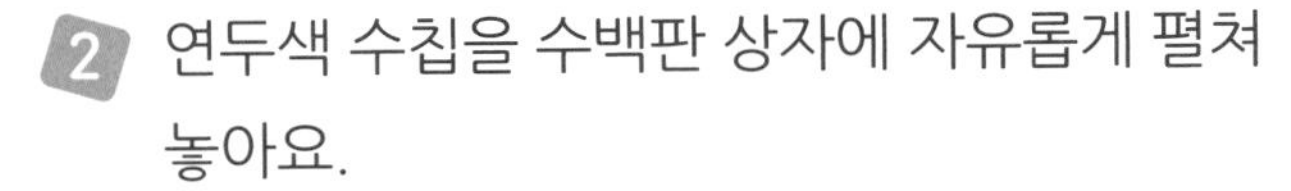

2. 연두색 수칩을 수백판 상자에 자유롭게 펼쳐 놓아요.

3. 수칩을 수백판 상자에서 하나씩 꺼내 백판 보드의 수에 맞게 올려놓아요.

4. 1부터 20까지의 수칩을 모두 놓아요.

준비물 백판 보드, 1-100 판 카드,
연두색 수칩, 수백판 상자

 10개씩 묶어 세어 보세요. 모두 몇 개인지 ☐ 안에 알맞은 수를 써넣으세요.

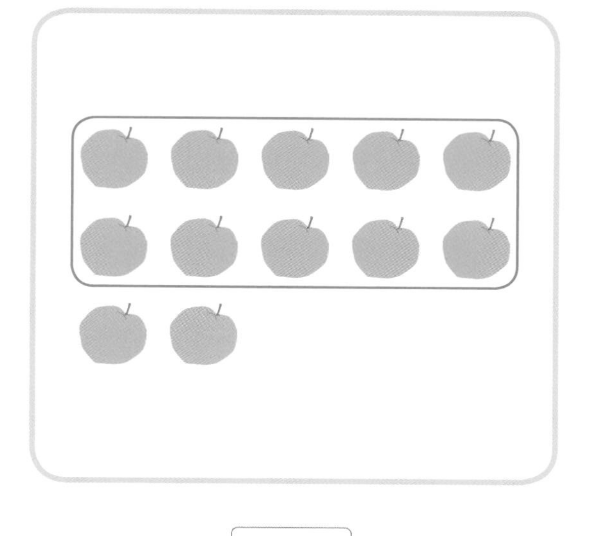

12

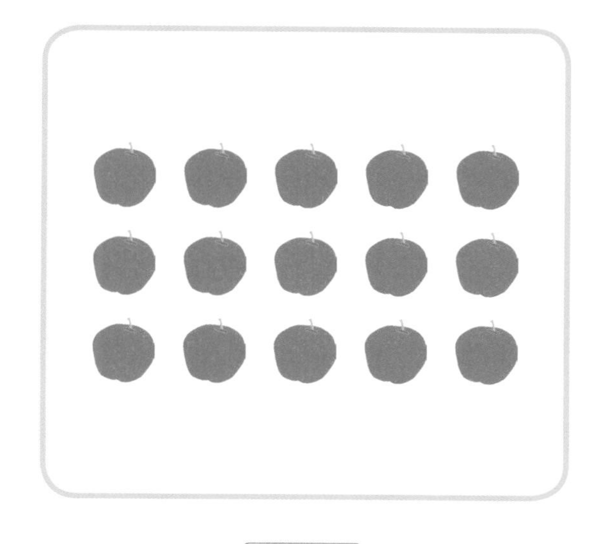

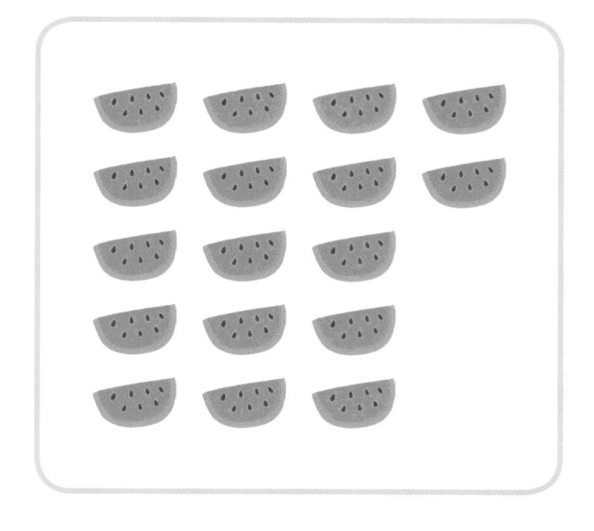

활동 2 20까지 수 읽기

1부터 20까지의 수 읽기를 알아봅시다.

1 백판 보드에 수 읽기 판 카드를 넣고, 색깔칩 10개를 준비해요.

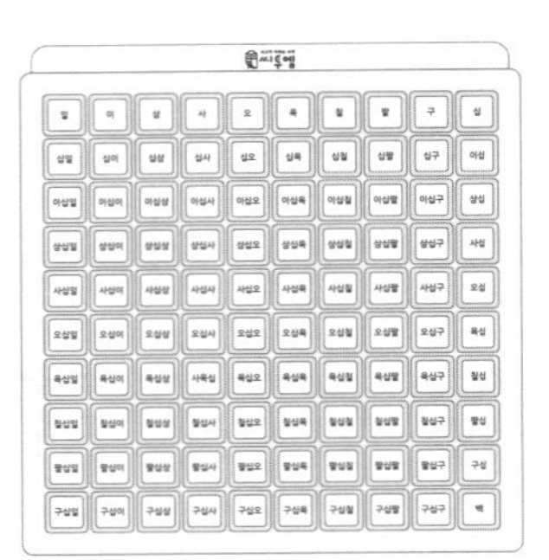

2 이십면체 주사위를 굴려 나온 수를 찾아 색깔칩을 백판 보드에 놓아요.

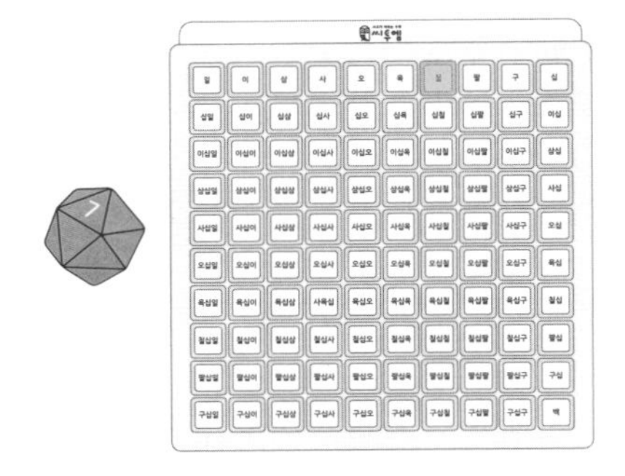

3 만약 주사위를 굴려 나온 수에 이미 색깔칩이 있으면 주사위를 다시 굴려요.

4 색깔칩 10개를 모두 놓았다면, 같은 방법으로 양 읽기 판 카드를 넣어 활동해 보아요.

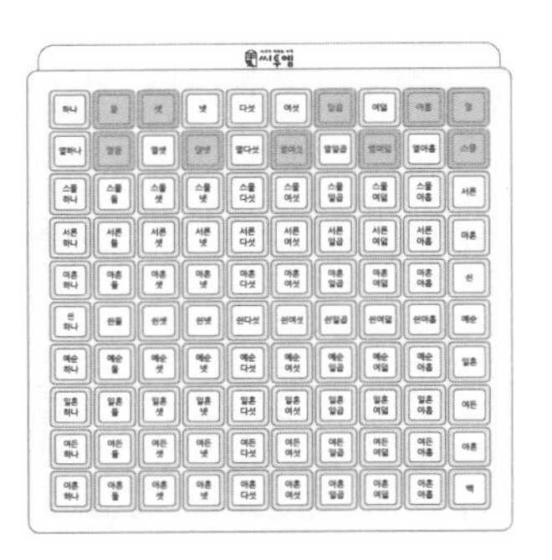

같이 해 볼까요

1 백판 보드에 수 읽기 카드를 넣고, 두 사람이 각자 색깔칩을 **5**개씩 준비해요.

2 먼저 한 사람이 주사위를 굴려요.

3 주사위를 굴려 나온 수를 두 사람이 동시에 찾아 자신의 색깔칩을 놓아요.

4 번갈아 가며 주사위를 굴리고 칩을 놓다가 자신의 색깔칩 **5**개를 모두 놓은 사람이 이겨요.

준비물 백판 보드, 수 읽기/양 읽기 판 카드, 색깔칩, 이십면체 주사위

20까지의 수를 읽었어요. 알맞게 이어 보세요.

4	구	일곱
7	사	아홉
9	칠	넷

13	십육	열아홉
16	십구	열셋
19	십삼	열여섯

활동 3 20까지 수의 순서

1부터 20까지 수의 순서대로 수칩을 놓아 봅시다.

1 연두색 수칩을 수백판 상자에 자유롭게 펼쳐 놓아요.

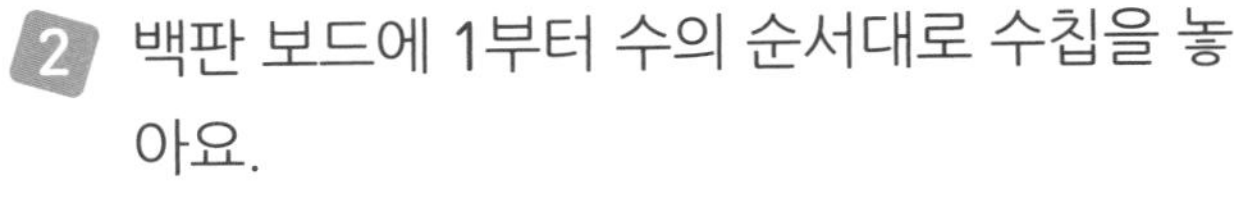

2 백판 보드에 1부터 수의 순서대로 수칩을 놓아요.

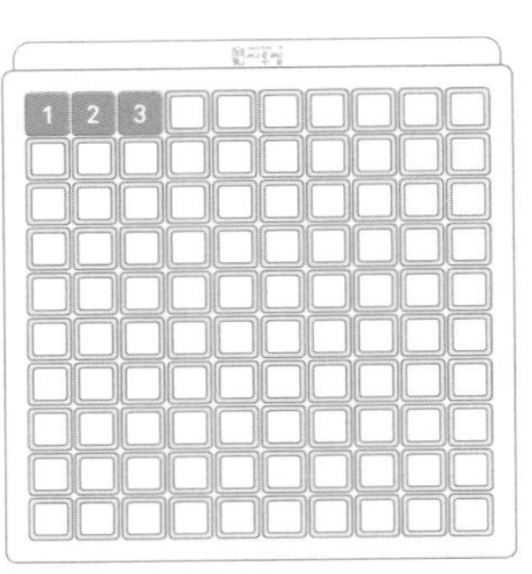

3 수칩을 다 놓았다면 백판 보드에 1~100의 수가 보이도록 판 카드를 넣어요.

4 수칩을 1부터 하나씩 빼면서 올바르게 놓았는지 확인해요. 같은 방법으로 20부터 수의 순서를 거꾸로 하여 활동해 보아요.

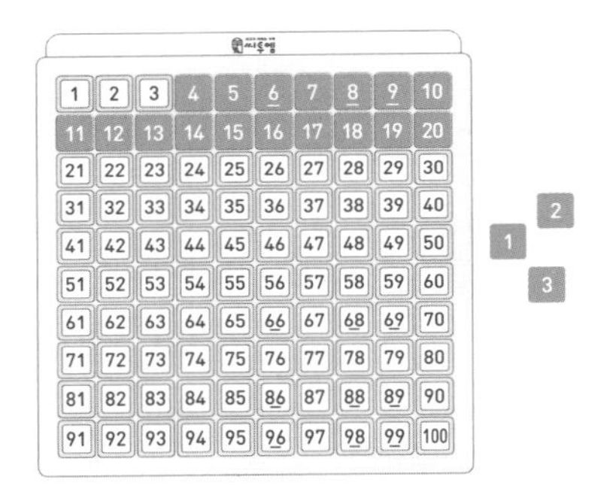

같이 해 볼까요

1 한 사람은 수칩 **1**, 다른 사람은 수칩 **20**을 찾아 백판 보드의 **1**과 **20**의 위치에 수칩을 놓아요.

2 시작과 동시에 수칩 **1**을 가진 사람은 **1**부터 수의 순서대로, 수칩 **20**을 가진 사람은 **20**부터 수의 순서를 거꾸로 하여 백판 보드에 수칩을 놓아요.

3 수칩을 더 많이 놓은 사람이 이겨요. 만약 수칩을 더 많이 놓았더라도 수의 순서가 맞지 않으면 무조건 져요.

준비물 백판 보드, 1-100 판 카드,
연두색 수칩, 수백판 상자

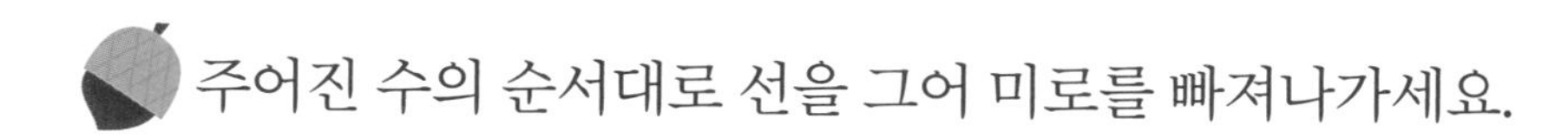

주어진 수의 순서대로 선을 그어 미로를 빠져나가세요.

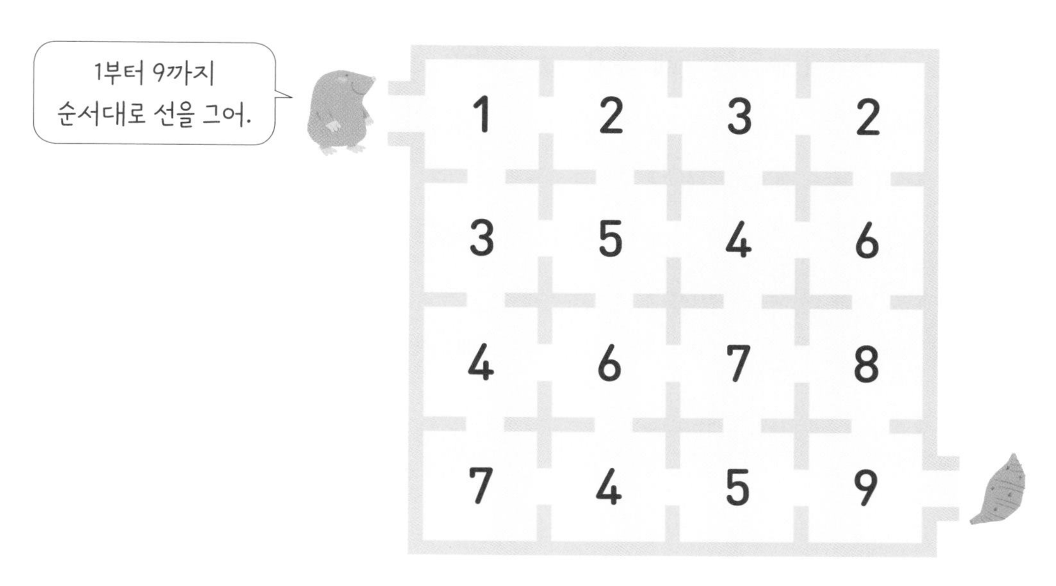

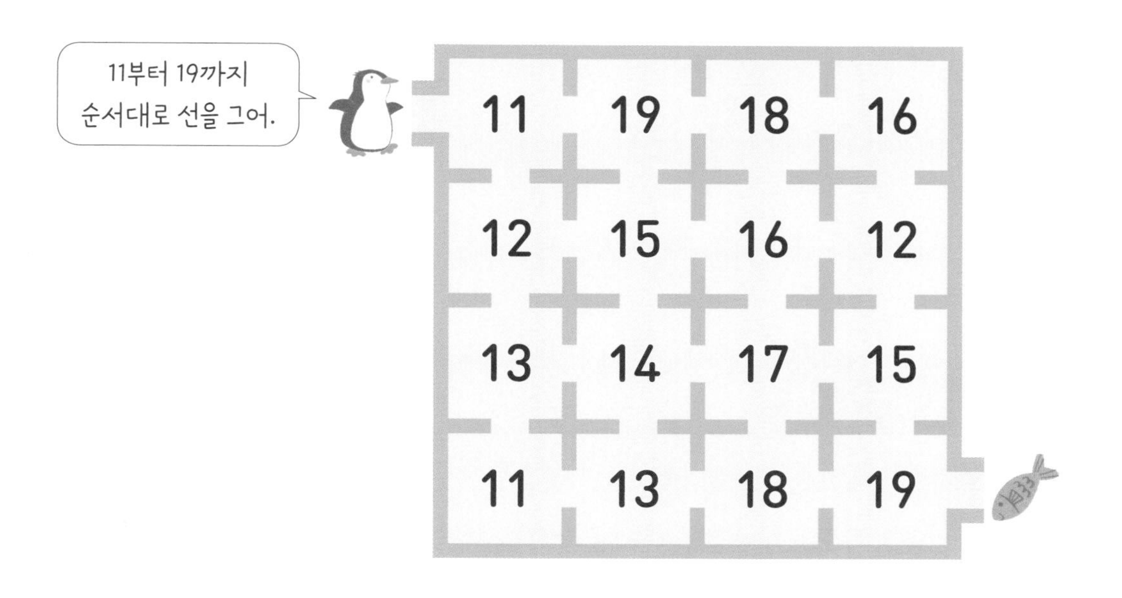

활동 4

빠진 수 찾기

1부터 20까지의 수 중에서 빠진 수를 찾아봅시다.

1 수를 보지 않고 연두색 수칩을 1개 뽑고, 나머지 칩은 수가 보이도록 상자에 넣어요.

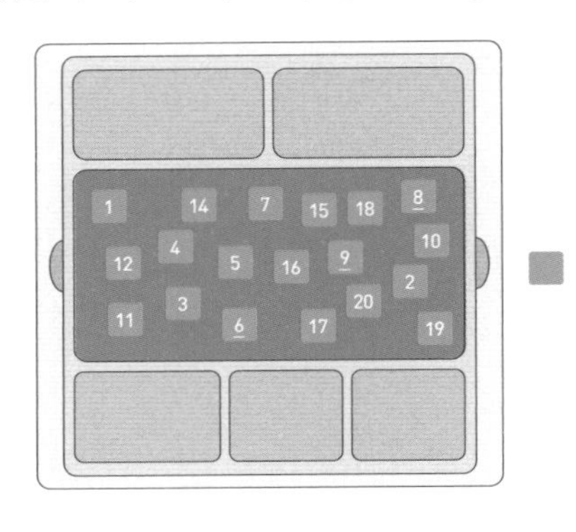

2 상자에 있는 수칩을 백판 보드에 놓아 보면서 빠진 수를 찾아요.

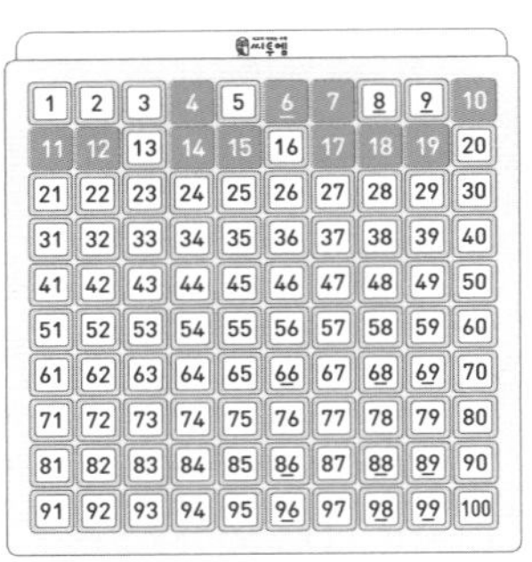

3 빠진 수를 말하고, 뒤집은 수칩의 수를 확인해요.

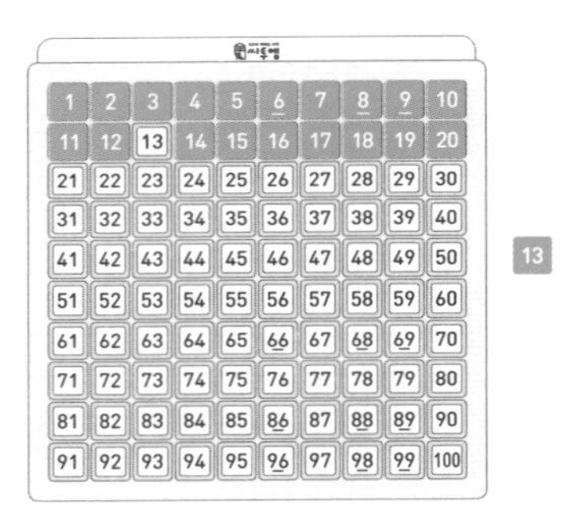

백판 보드에
수칩을 놓으면서 빠진
수를 찾아봐!

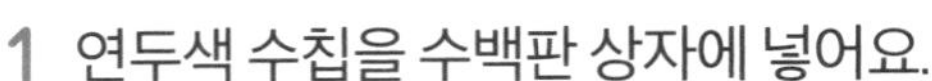

같이 해 볼까요

1 연두색 수칩을 수백판 상자에 넣어요.
2 한 사람이 상대방이 모르게 수칩을 하나 골라 수를 확인하고, 수가 보이지 않게 가지고 있어요.
3 다른 사람은 백판 보드에 수칩을 놓으면서 상대방이 가지고 있는 수칩의 수를 말해요.
4 서로 역할을 바꾸어 게임을 해 보아요.

준비물 백판 보드, 1-100 판 카드, 연두색 수칩, 수백판 상자

1부터 10까지의 수칩 중 1개가 빠졌어요. 빠진 수를 찾아보세요.

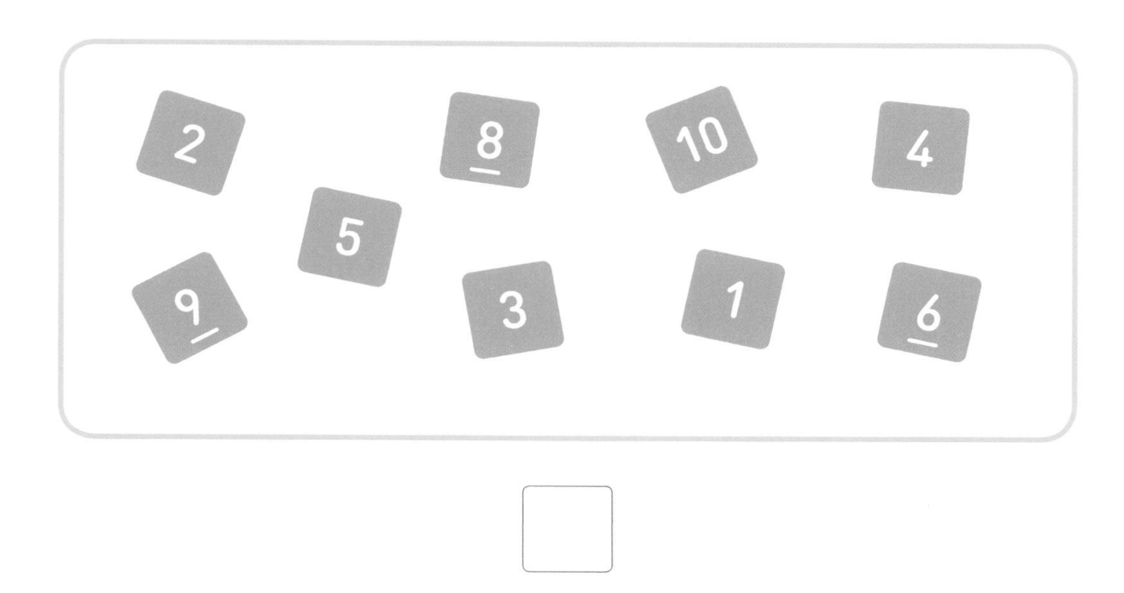

11부터 20까지의 수칩 중 1개가 빠졌어요. 빠진 수를 찾아보세요.

활동 5 가려진 수

가려진 수를 찾아봅시다.

1 백판 보드에 1~100의 수가 보이도록 판 카드를 넣고, 연두색 수칩 5개를 골라요.

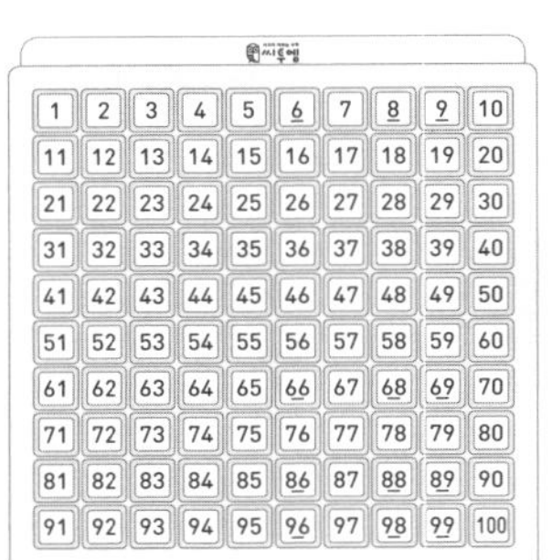

2 백판 보드에서 같은 수를 찾아 연두색 수칩의 수가 보이지 않게 칩을 놓아요.

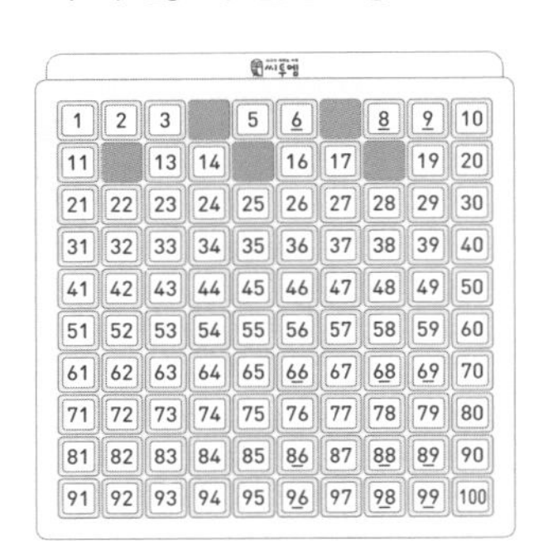

3 백판 보드에서 1-100 판 카드를 빼요. 수칩 1개를 가리키며 칩의 수를 말해요.

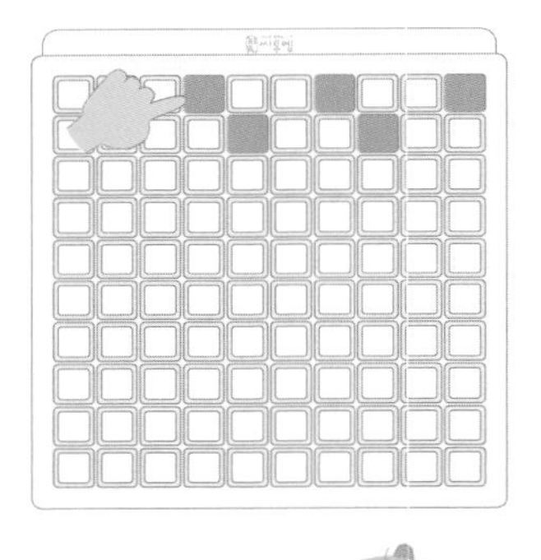

4 수칩을 뒤집어 올바르게 말했는지 확인해요.

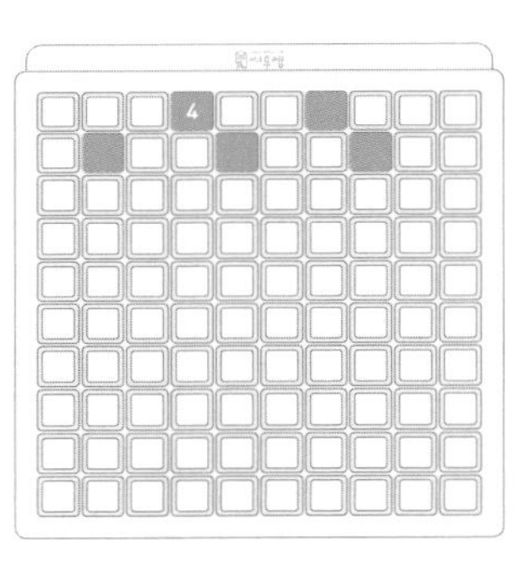

같이 해 볼까요

1 한 사람이 먼저 연두색 수칩 중에서 5개를 골라요.

2 백판 보드에 1~100의 수가 보이도록 판 카드를 넣고, 자신의 수칩 5개를 수가 보이지 않게 백판 보드에 놓고 판 카드를 빼요.

3 상대방은 수칩의 수를 말하고 수칩을 뒤집어 올바르게 말했는지 확인해요.

4 수칩의 수를 올바르게 말했다면 수칩을 가져가요. 수칩의 개수가 자신의 점수에요.

5 역할을 바꾸어 게임하고, 점수가 더 높은 사람이 이겨요.

20까지의 수백판이에요. 색칠한 칸의 수를 찾아 □ 안에 알맞은 수를 써넣으세요.

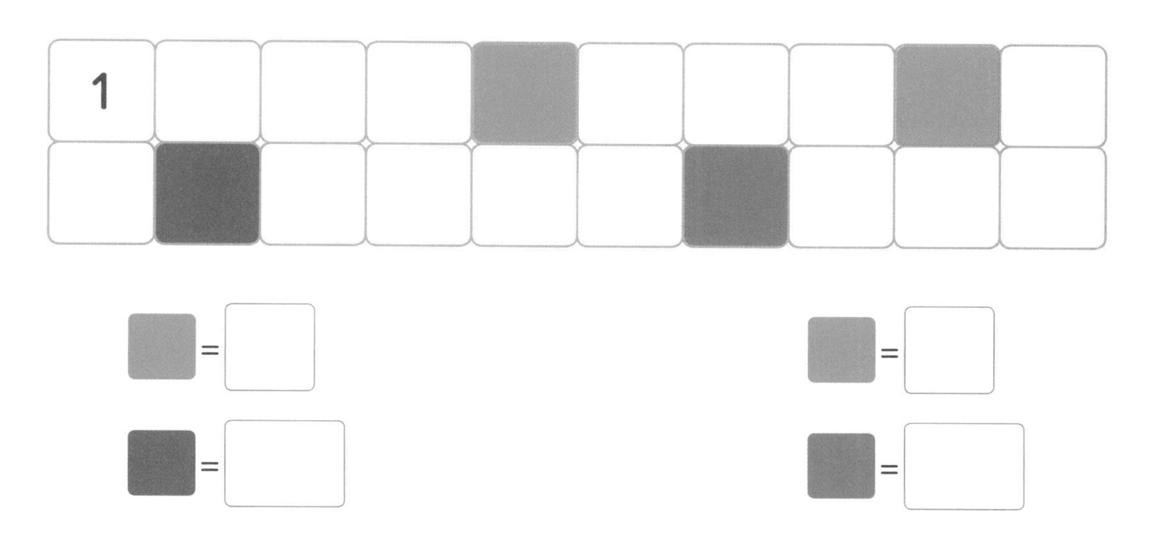

20까지의 수백판이에요. 주어진 수의 자리를 찾아 색칠해 보세요.

3 = 7 = 15 = 19 =

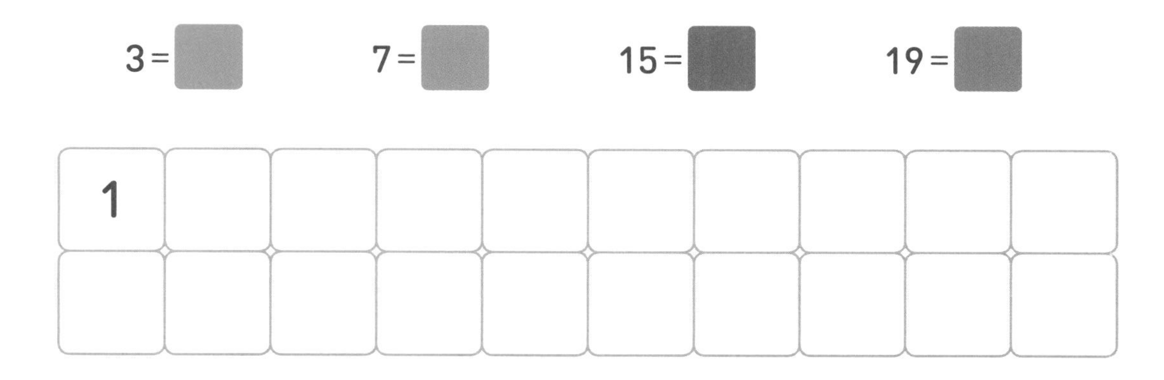

활동 6 여러 가지 모양 만들기

색깔칩으로 여러 가지 모양을 만들어 봅시다.

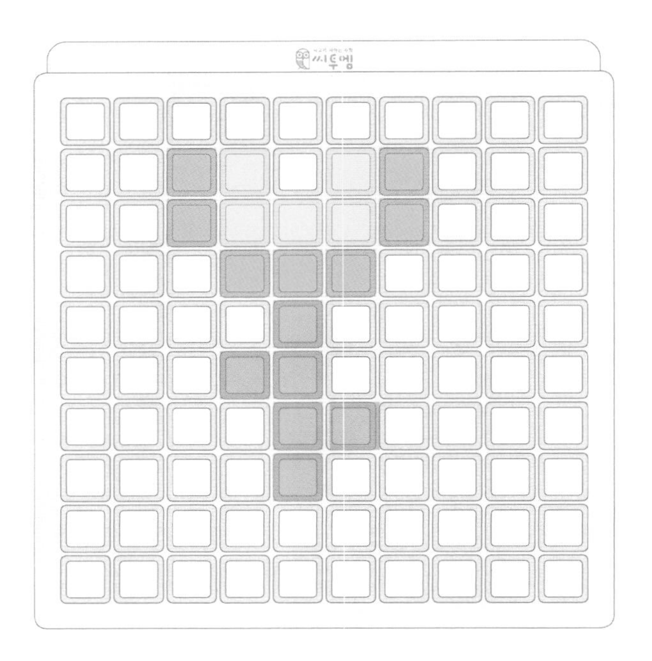

나는 예쁜 꽃을 만들었어.

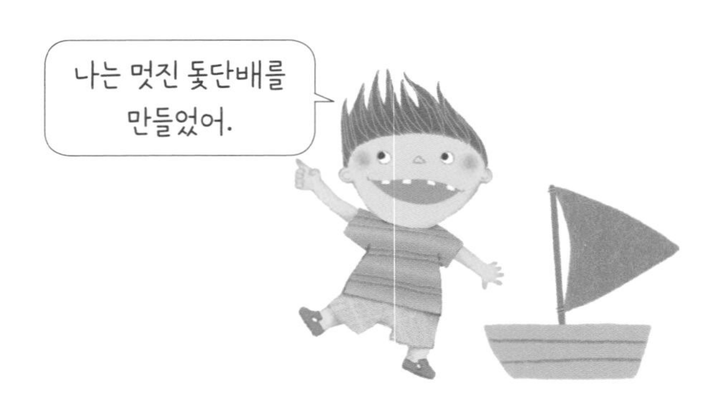

나는 멋진 돛단배를 만들었어.

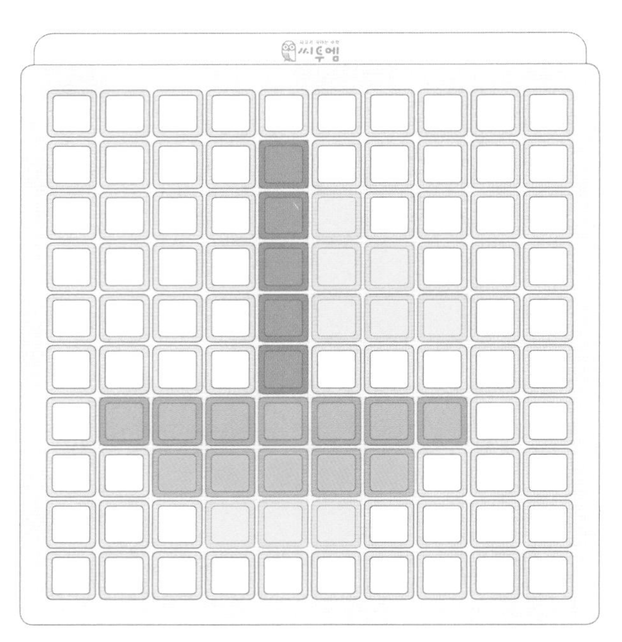

백판 보드에 색깔칩을 놓아 모양을 만들고 만든 모양을 나타내어 보세요. 또, 내가 만든 모양의 제목을 지어 보세요.

씨투엠

제목:

씨투엠

제목:

활동 7

뛰어 세기

백판 보드에서 뛰어 센 수를 찾아봅시다.

1 백판 보드에 1~100의 수가 보이도록 판 카드를 넣어요.

2 2부터 2씩 뛰어 센 수를 찾아 색깔칩 10개를 놓아요.

3 같은 방법으로 3부터 3씩, 4부터 4씩, 5부터 5씩, 뛰어 센 수를 찾아 색깔칩을 20까지만 놓아요.

3부터 3씩 뛰어 센 수

4 이번에는 백판 보드에 수 읽기, 양 읽기 판 카드를 넣고 같은 방법으로 활동해 보아요.

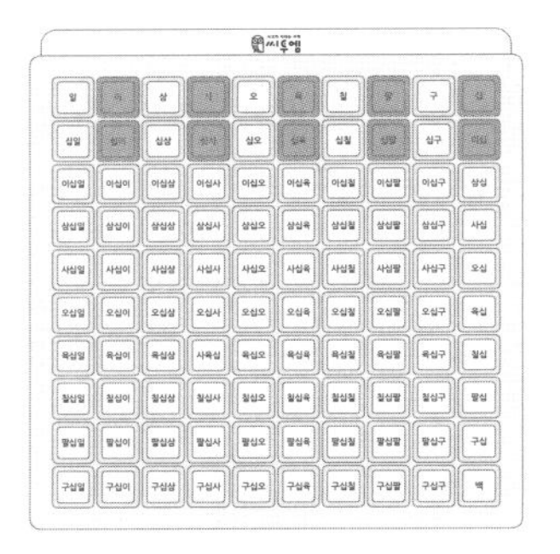

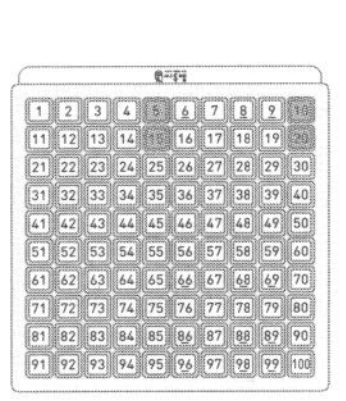

5씩 뛰어 센 수는 5, 10, 15, 20에만 놓을 수 있네.

준비물 백판 보드, 1-100 판 카드, 수 읽기/양 읽기 판 카드, 색깔칩

주어진 수만큼 뛰어 센 수를 모두 찾아 ◯표 하세요.

2부터 2씩 뛰어 세기

1	2	3	4	5	6	7	8	9	10
11	12	13	14	15	16	17	18	19	20

3부터 3씩 뛰어 세기

1	2	3	4	5	6	7	8	9	10
11	12	13	14	15	16	17	18	19	20

4부터 4씩 뛰어 세기

1	2	3	4	5	6	7	8	9	10
11	12	13	14	15	16	17	18	19	20

5부터 5씩 뛰어 세기

1	2	3	4	5	6	7	8	9	10
11	12	13	14	15	16	17	18	19	20

활동 8

5번 뛰어 세기

주사위를 굴려 나온 수부터 뛰어 센 수 5개를 찾아봅시다.

1 백판 보드와 연두색 수칩을 수가 보이도록 자유롭게 펼쳐 놓아요.

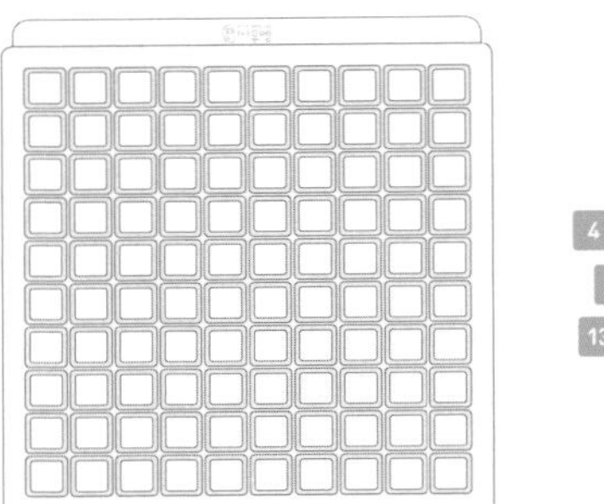

2 연두색 수칩 중 1개를 골라 백판 보드 위에 놓고 2씩 뛰어 센 수 5개를 만들어요.

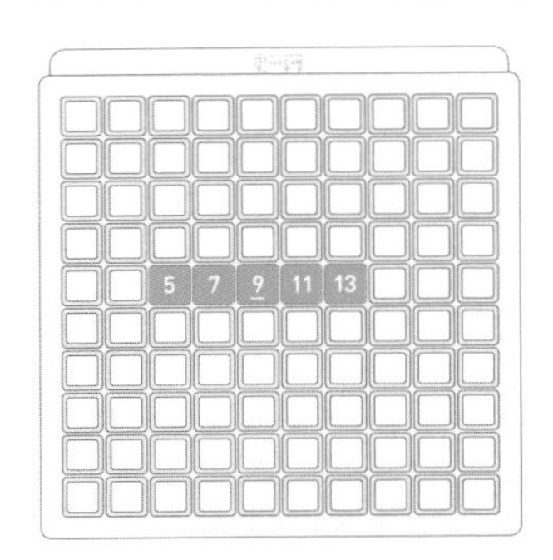

3 같은 방법으로 3씩, 4씩 뛰어 센 수 5개를 만들어요.

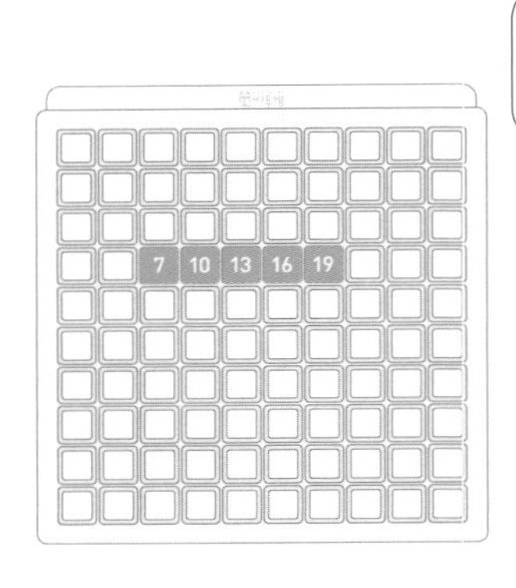

3씩 뛰어 센 수
5개를 만들었어.

4 만약 뛰어 센 수 5개가 만들어지지 않으면 5개가 만들어지도록 수칩을 골라 다시 만들어요.

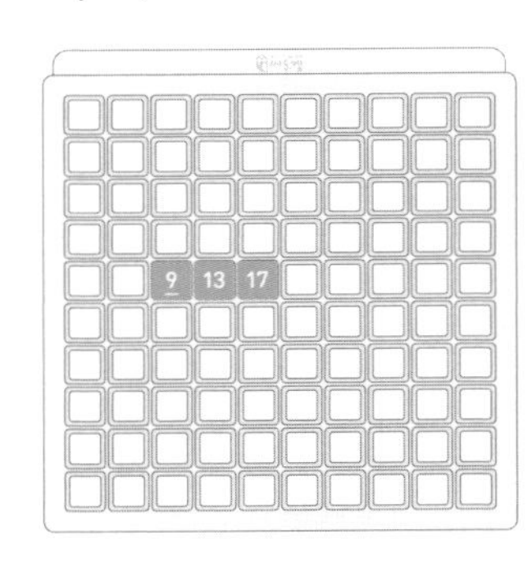

9부터 4씩 뛰어 세면
9, 13, 17
3개밖에 못 만드네.
다시 만들어야겠어.

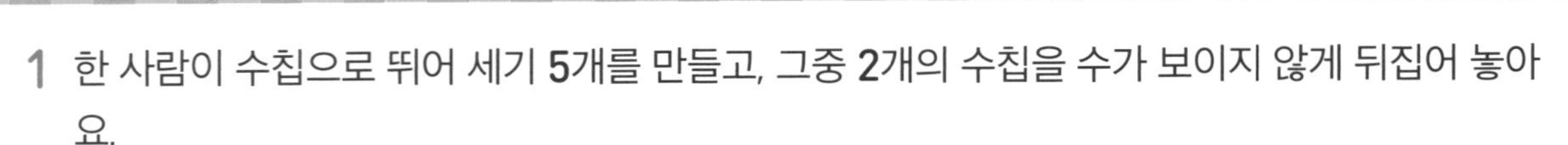

같이 해 볼까요

1 한 사람이 수칩으로 뛰어 세기 5개를 만들고, 그중 2개의 수칩을 수가 보이지 않게 뒤집어 놓아요.

2 상대방은 수칩을 보고 뛰어 세기 규칙을 찾아 뒤집어진 수칩의 수를 말해요.

3 수칩을 뒤집어 말한 수가 맞는지 확인해요. 역할을 바꾸어 여러 번 게임을 해 보아요.

준비물 백판 보드, 연두색 수칩

뛰어 센 규칙을 찾아 □ 안에 알맞은 수를 써넣으세요.

활동 9 수의 크기 비교

수의 크기를 비교하여 더 큰 수를 찾아봅시다.

1 연두색 수칩을 수가 보이지 않게 자유롭게 펼쳐 놓고, 4개를 가져와요.

2 4개 중 2개씩 나누어 수의 크기를 비교하고 큰 수 2개를 가져와요.

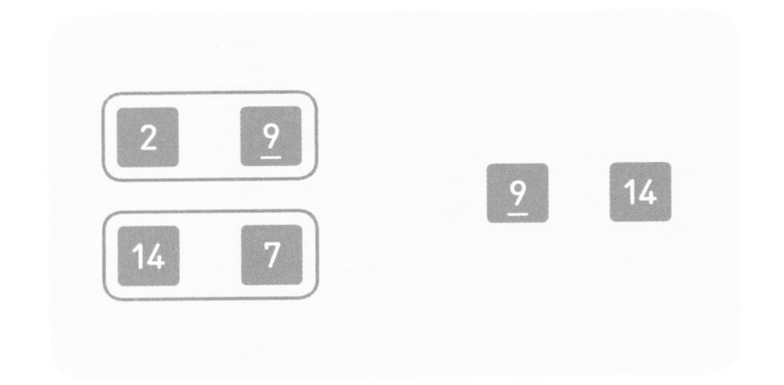

3 가져온 큰 수끼리 수의 크기를 비교하여 가장 큰 수를 말해요.

9 14

가장 큰 수는 14야.

4 이번에는 같은 방법으로 작은 수 찾기로 활동해 보아요.

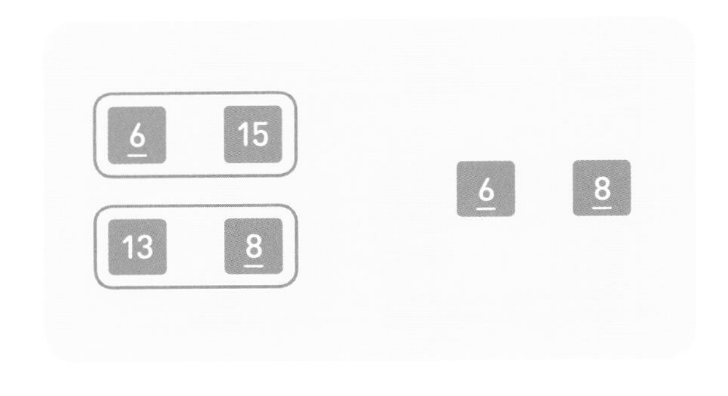

같이 해 볼까요

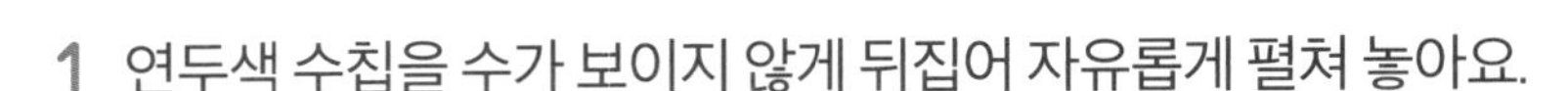

1 연두색 수칩을 수가 보이지 않게 뒤집어 자유롭게 펼쳐 놓아요.

2 두 사람이 동시에 각자 수칩을 1개씩 선택하여 뒤집어요. 수의 크기를 비교하여 큰 수를 가진 사람이 수칩 2개를 모두 가져요.

3 수칩을 모두 사용할 때까지 게임하고 수칩을 더 많이 가진 사람이 이겨요.

4 같은 방법으로 작은 수 가져가기 게임도 해 보아요.

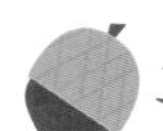 두 수의 크기를 비교하여 더 큰 수를 위 칸에 써넣으세요.

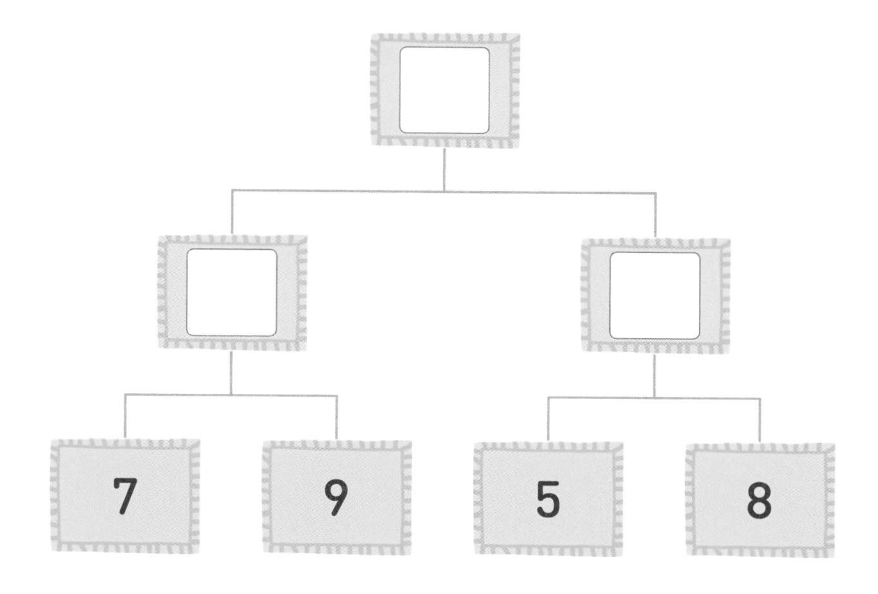

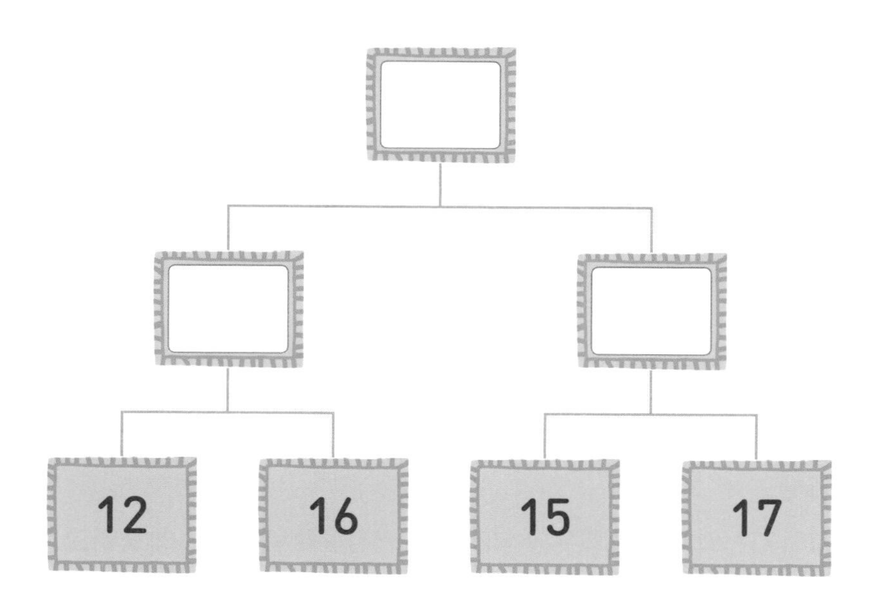

활동 10 큰 수부터 순서대로

수의 크기를 비교하여 큰 수부터 순서대로 놓아 봅시다.

1. 연두색 수칩을 수가 보이지 않게 자유롭게 펼쳐 놓고, 5개를 가져와요.

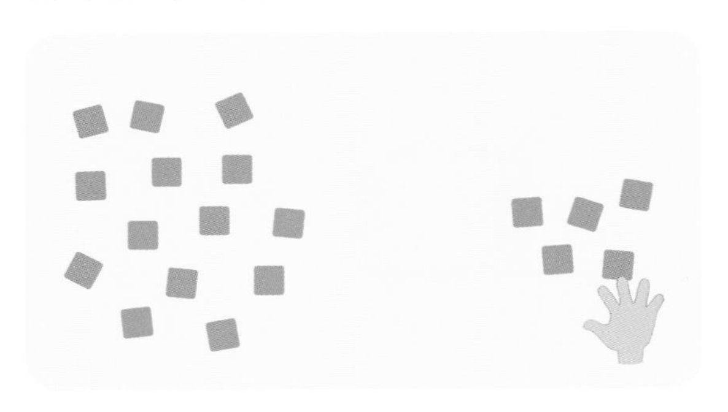

2. 백판 보드에 작은 수부터 순서대로 놓아요. 가장 큰 수와 가장 작은 수를 말해 보아요.

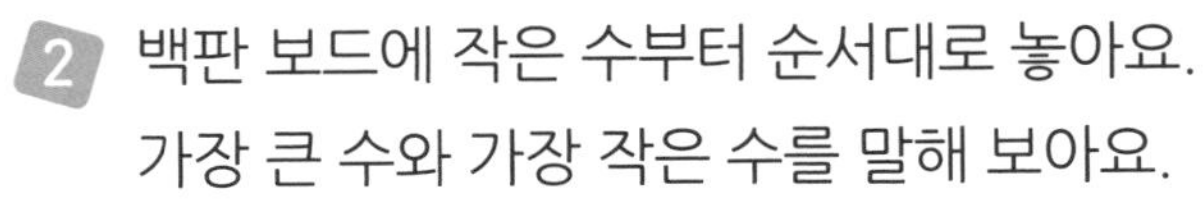

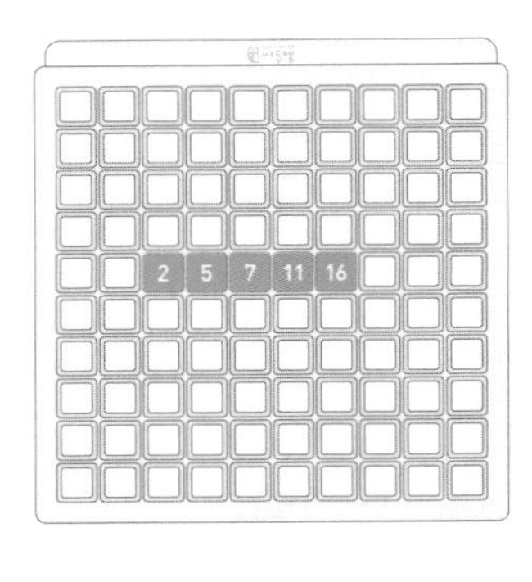

3. 이번에는 같은 방법으로 큰 수부터 순서대로 놓아 보아요.

수를 2개 또는 3개씩 묶어서 비교하고 전체 수를 동시에 비교해 봐.

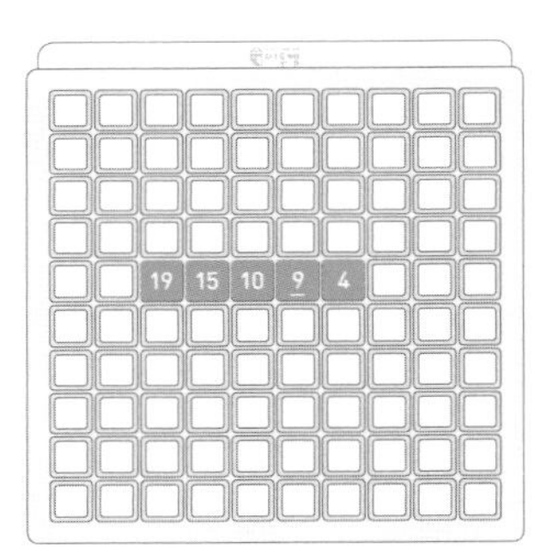

같이 해 볼까요

1 연두색 수칩을 수가 보이지 않게 준비해요.
2 두 사람이 각자 수칩을 10개씩 가져가고, 백판 보드의 맨 윗줄과 맨 아랫줄 중 자신의 수칩을 놓을 곳을 정해요.
3 시작과 동시에 자신의 수칩을 작은 수부터 수가 커지도록 백판 보드에 놓아요.
4 먼저 올바르게 놓은 사람이 이겨요.
5 같은 방법으로 큰 수부터 수가 작아지도록 놓는 게임도 해 보아요.

작은 수부터 수가 커지도록 수를 이어 보세요.

큰 수부터 수가 작아지도록 수를 이어 보세요.

활동 11 큰 수, 작은 수

조건에 맞는 큰 수, 작은 수를 찾아봅시다.

1 연두색 수칩을 수가 보이도록 자유롭게 펼쳐 놓아요.

2 이십면체 주사위와 큰 수 작은 수 주사위를 동시에 굴려요.

3 주사위 조건에 맞는 수를 찾아요. 만약 조건에 맞는 수가 없으면 주사위를 다시 굴려요.

4 여러 번 활동해 보아요.

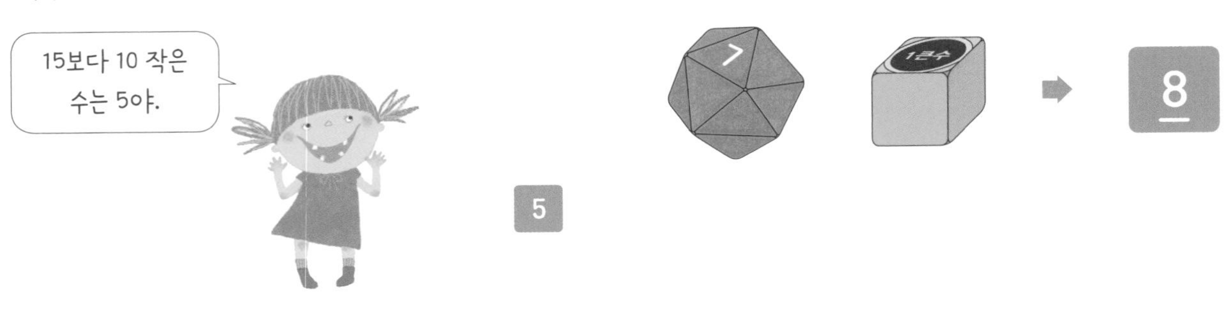

같이 해 볼까요

1 한 사람은 이십면체 주사위, 다른 사람은 큰 수 작은 수 주사위를 굴려요.

2 두 사람이 동시에 주사위를 굴려 나온 조건에 맞는 수칩을 찾아요. 조건에 맞는 수가 없으면 주사위를 다시 굴려요.

3 여러 번 게임을 하다 수칩 **3**개를 먼저 모은 사람이 이겨요.

준비물 연두색 수칩, 큰 수 작은 수 주사위,
이십면체 주사위

조건에 맞는 수를 찾아 알맞게 이어 보세요.

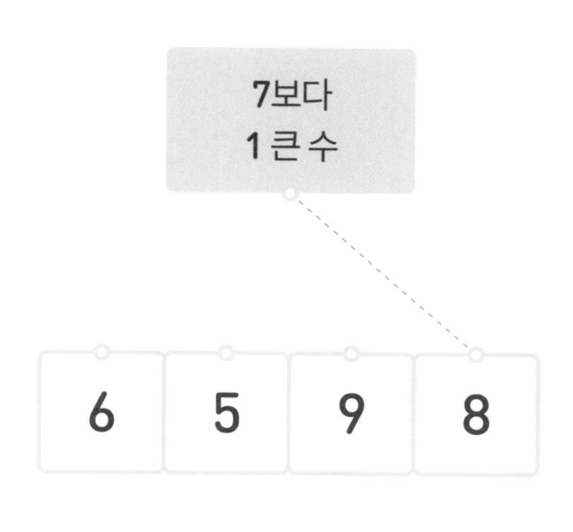

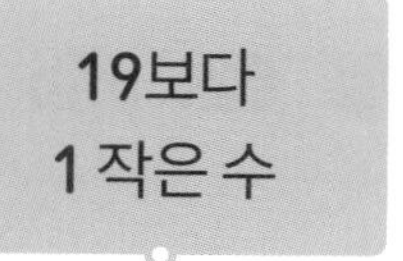

20 18 15 16

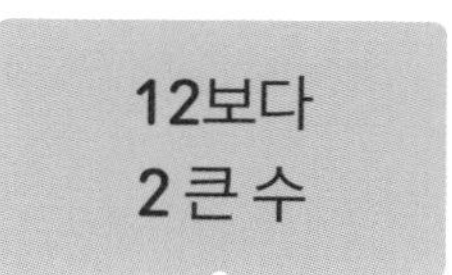

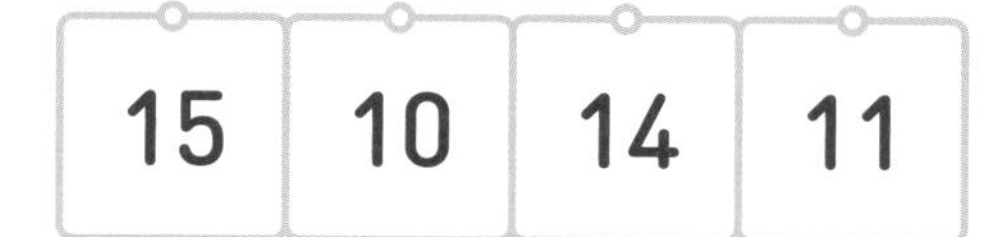

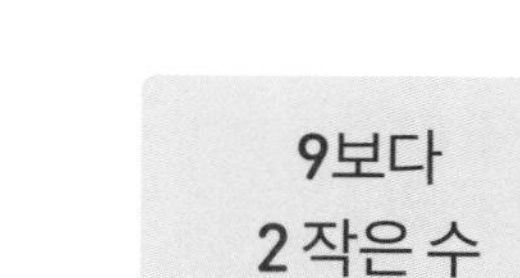

3보다
10 큰 수

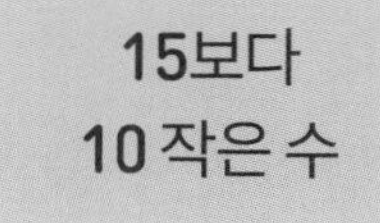

확인학습1

1 수를 세어 □ 안에 써넣으세요.

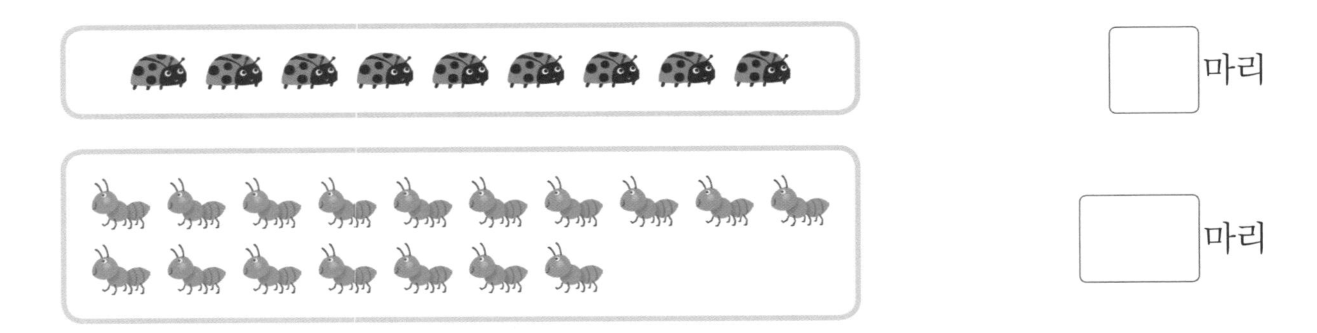

2 같은 수끼리 이어 보세요.

3 □ 안에 알맞은 수를 써넣으세요.

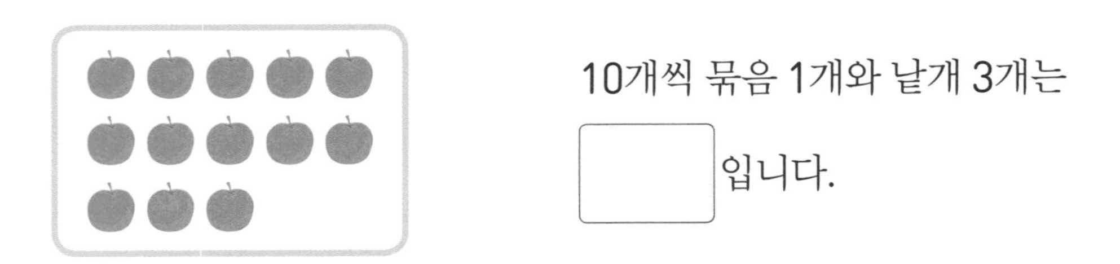

10개씩 묶음 1개와 낱개 3개는
입니다.

4 ◯ 안에 알맞은 수를 써넣으세요.

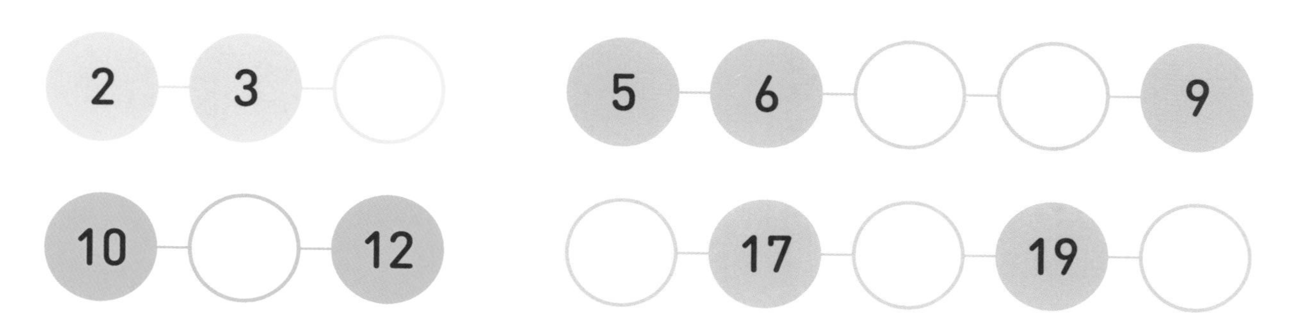

5 둘 중 더 큰 수에 ◯표 하세요.

6 큰 수부터 순서대로 써 보세요.

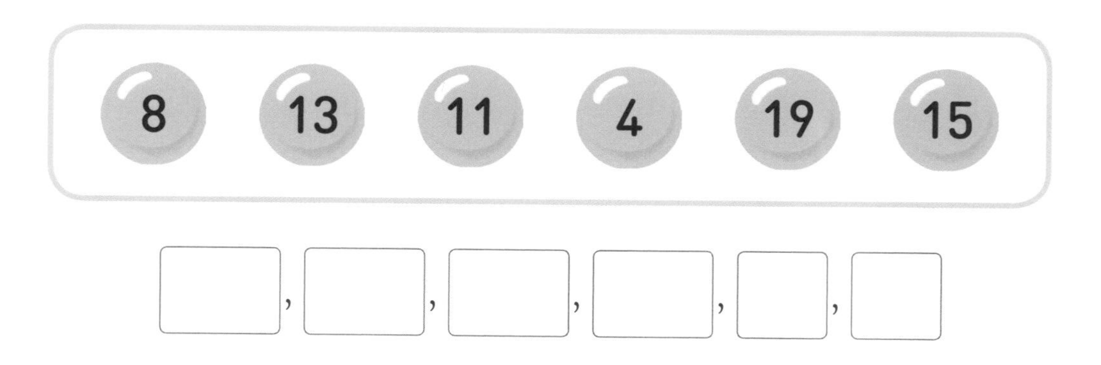

확인학습2

1 모두 몇 개인지 세어 수를 쓰고, 두 가지로 읽어 보세요.

수: □

읽기: □, □

수: □

읽기: □, □

2 □ 안에 알맞은 수를 써넣으세요.

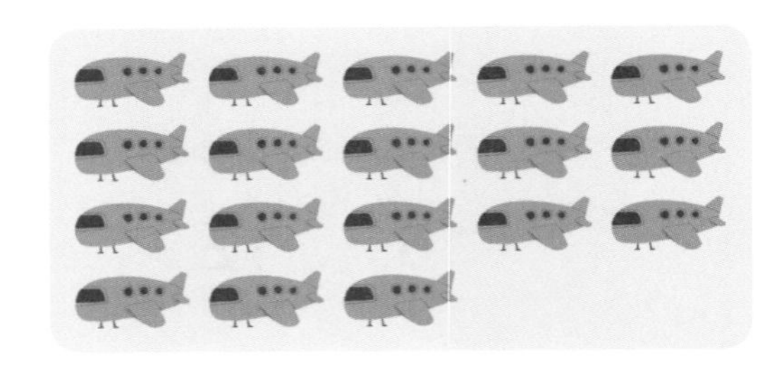

10개씩 묶음 □ 개와 낱개 □ 개는 □ 입니다.

3 수의 순서를 거꾸로 하여 수를 써 보세요.

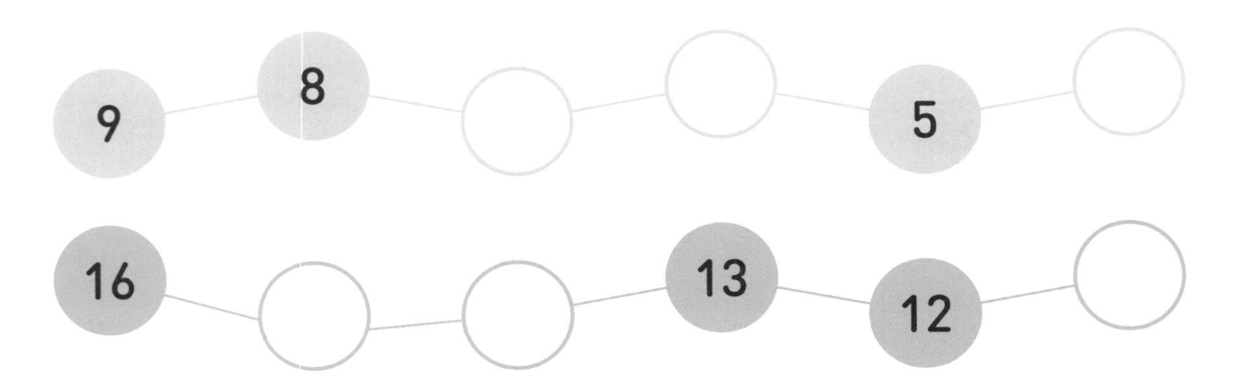

4 2부터 3씩 뛰어 세면서 선으로 이어 보세요.

2 11 8 20

14 5 17

5 가장 작은 수부터 순서대로 쓰세요.

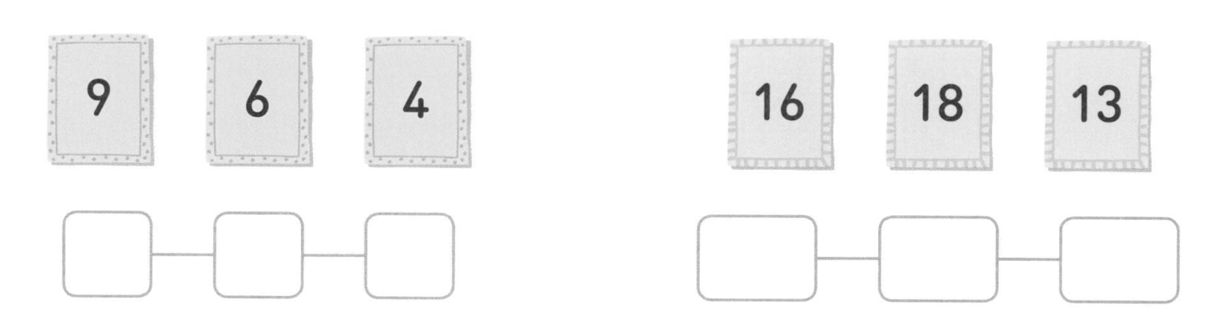

6 글을 읽고 □ 안에 알맞은 수를 써넣으세요.

- 10개씩 묶음 1개와 낱개 6개인 수보다 큰 수
- 20보다 작은 수

확인학습3

1 알맞게 이어 보세요.

2 빈칸에 알맞은 수를 써넣으세요.

수		10개씩 묶음	낱개
	11	1	1
		1	
			6

3 빈칸에 알맞은 말을 써넣으세요.

4 뛰어 센 규칙을 찾아 알맞은 수를 써넣으세요.

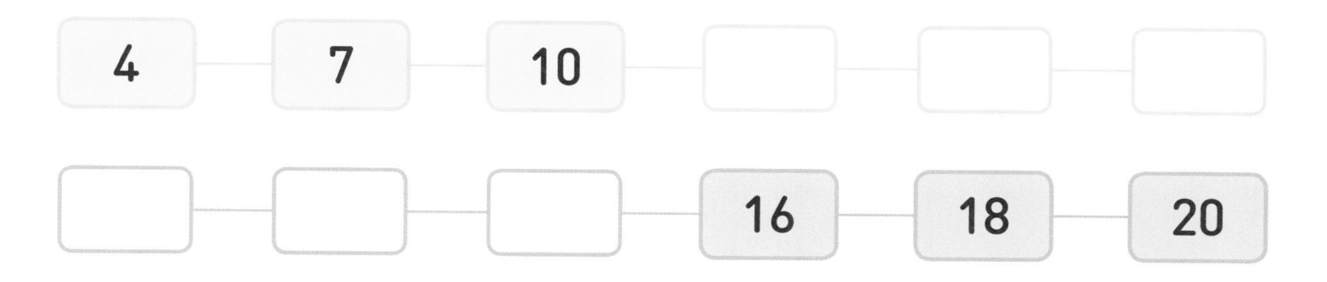

5 알맞게 이어 보세요.

17보다 1 큰 수	5보다 2 큰 수
12보다 2 작은 수	8보다 10 큰 수
8보다 1 작은 수	20보다 10 작은 수

6 □ 안에 알맞은 수를 써넣으세요.

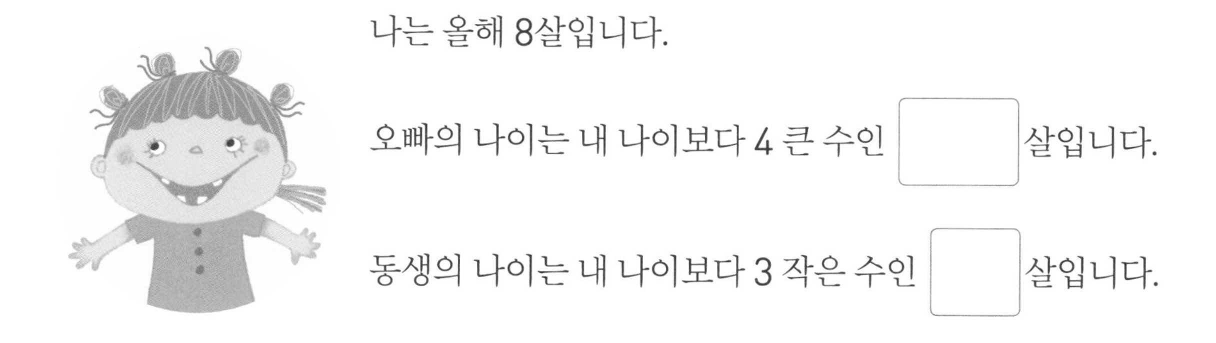

나는 올해 8살입니다.

오빠의 나이는 내 나이보다 4 큰 수인 □ 살입니다.

동생의 나이는 내 나이보다 3 작은 수인 □ 살입니다.

2부 50까지의 수

활동 12 50까지의 수

1부터 50까지의 수를 백판 보드에 놓아 봅시다.

1. 백판 보드에 1~100의 수가 보이도록 판 카드를 넣어요.

2. 연두색 수칩과 하늘색 수칩을 수백판 상자에 자유롭게 펼쳐 놓아요.

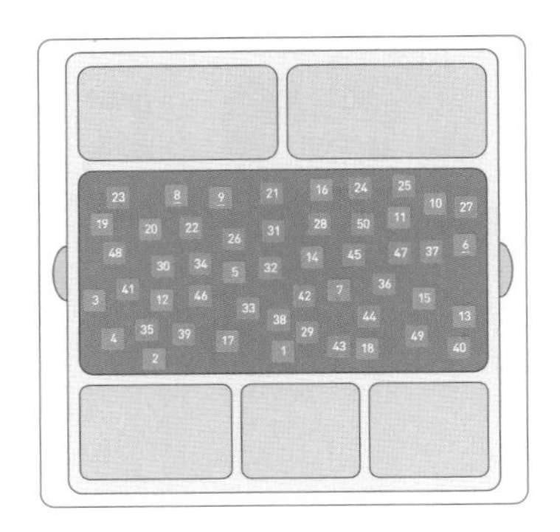

3. 수칩을 수백판 상자에서 하나씩 꺼내 백판 보드의 수에 맞게 놓아요.

4. 1부터 50까지의 수칩을 모두 놓아요.

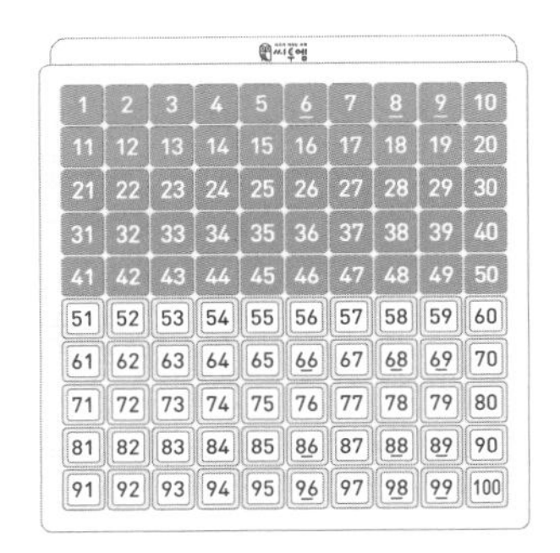

얼마인지 □ 안에 알맞은 수를 써넣으세요.

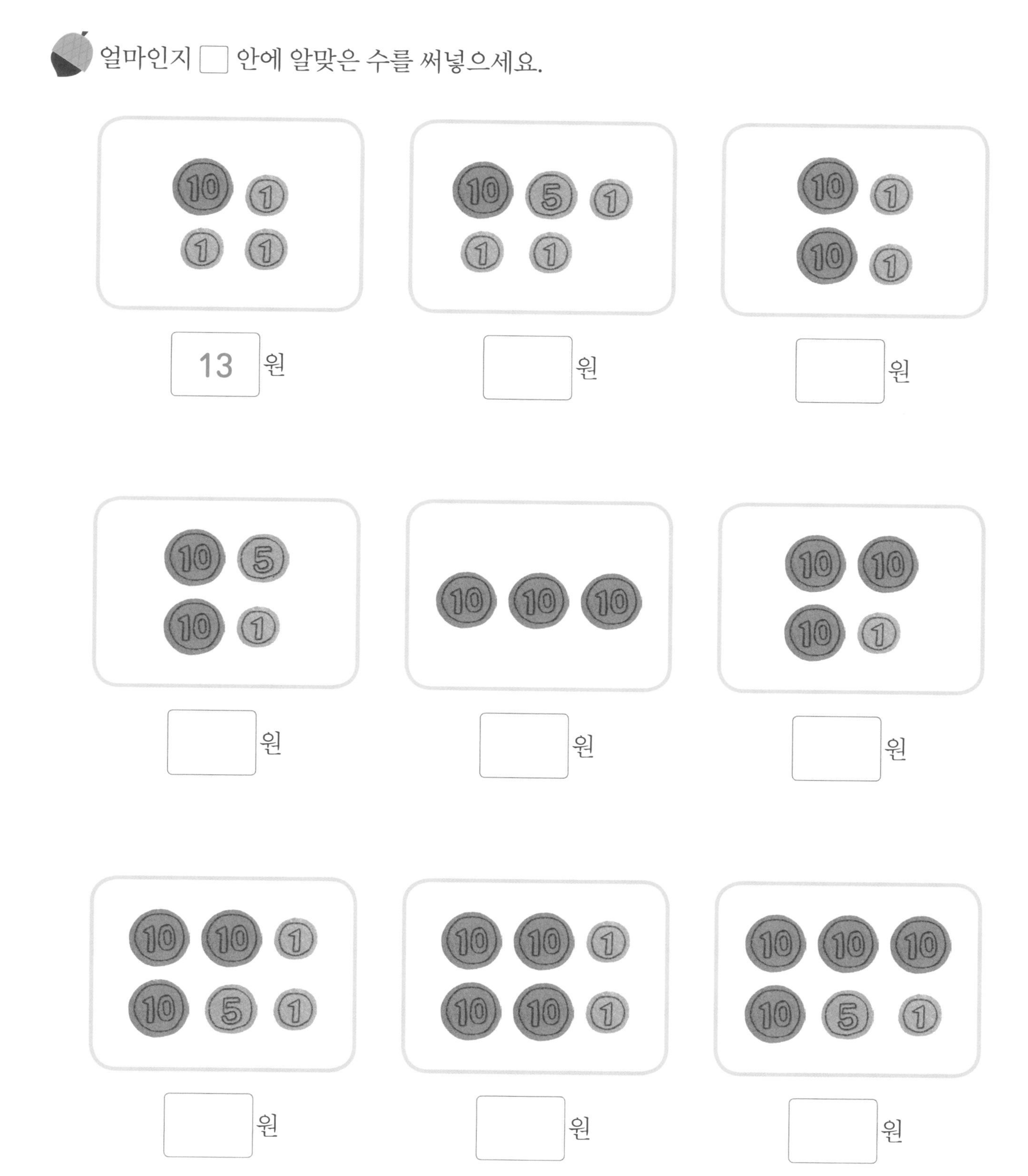

활동 13 50까지의 수 읽기

1부터 50까지의 수 읽기를 알아봅시다.

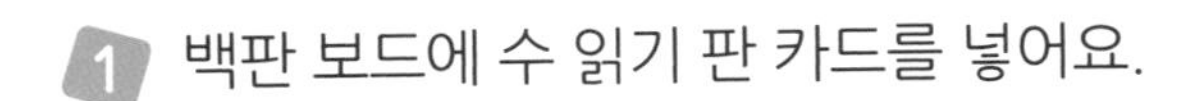

1. 백판 보드에 수 읽기 판 카드를 넣어요.

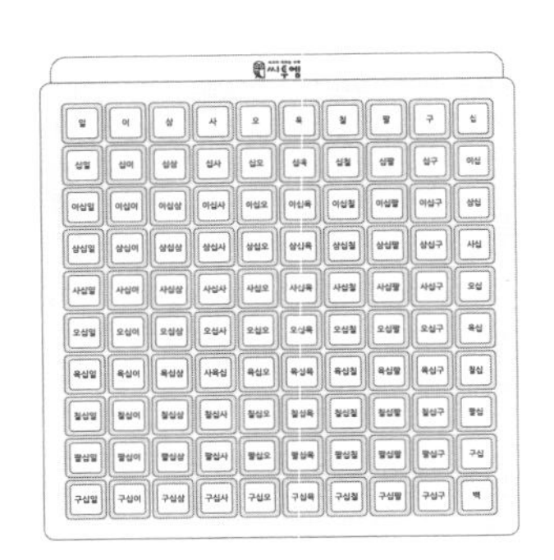

2. 연두색 수칩과 하늘색 수칩을 수백판 상자에 자유롭게 펼쳐 놓아요.

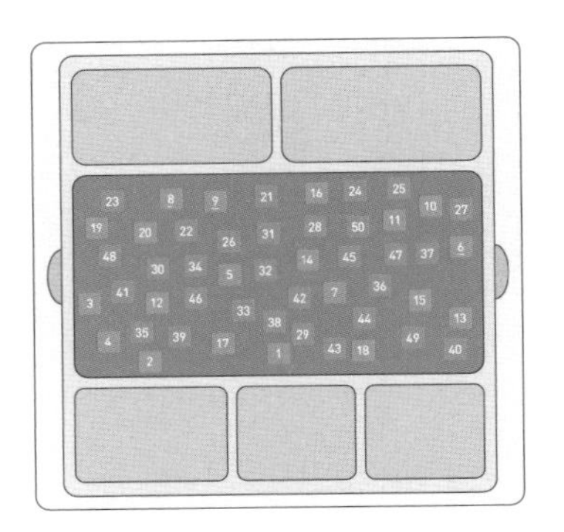

3. 수칩을 수백판 상자에서 하나씩 꺼내 그 수를 읽고 백판 보드에 놓아요.

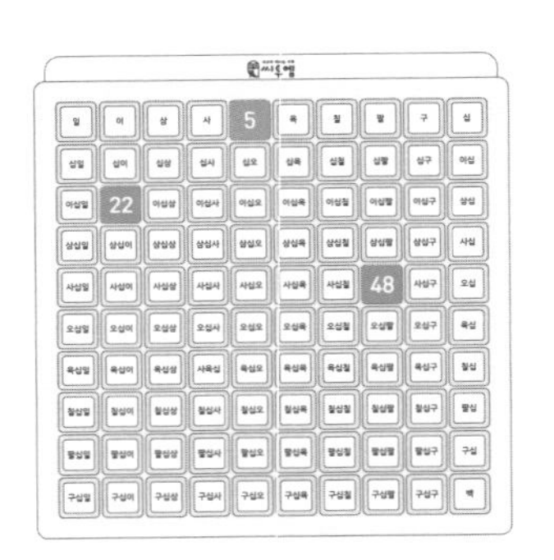

4. 수칩을 모두 백판 보드에 놓을 때까지 활동하고, 양 읽기 판 카드를 넣고 같은 방법으로 활동해 보아요.

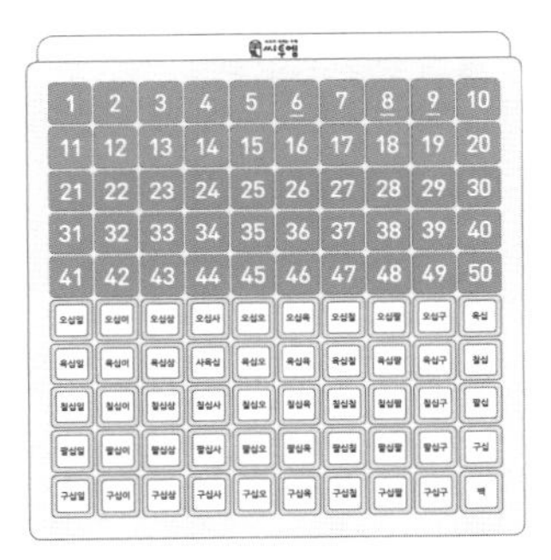

준비물 백판 보드, 수 읽기/양 읽기 판 카드, 연두색/하늘색 수칩, 수백판 상자

50까지의 수를 읽었어요. 알맞게 이어 보세요.

활동 14 수의 순서를 거꾸로 세기

수의 순서를 거꾸로 하여 수칩을 놓아 봅시다.

1 연두색 수칩과 하늘색 수칩을 수백판 상자에 자유롭게 펼쳐 놓아요.

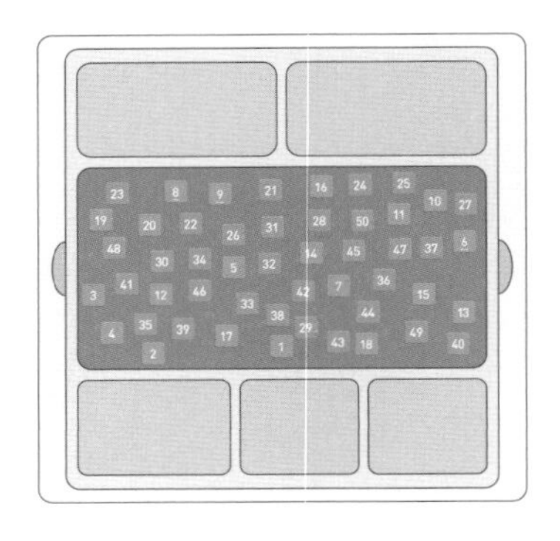

2 하늘색 수칩 중에서 수를 보지 않고 칩을 1개 골라 백판 보드 맨 위 오른쪽 칸에 놓아요.

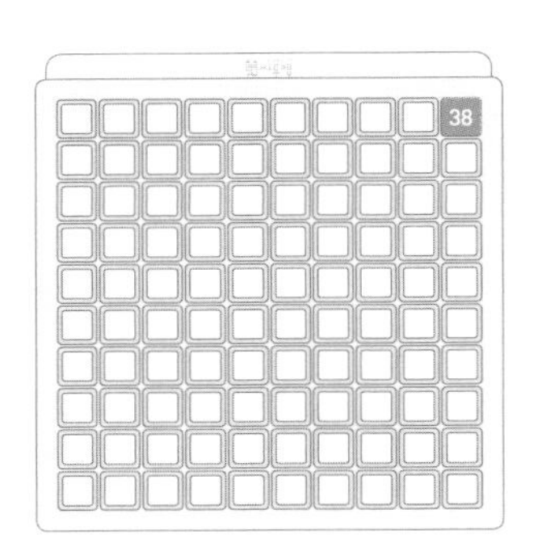

3 내가 고른 수칩의 수부터 수의 순서를 거꾸로 하여 수칩을 놓아 백판 맨 위의 한 줄을 채워요.

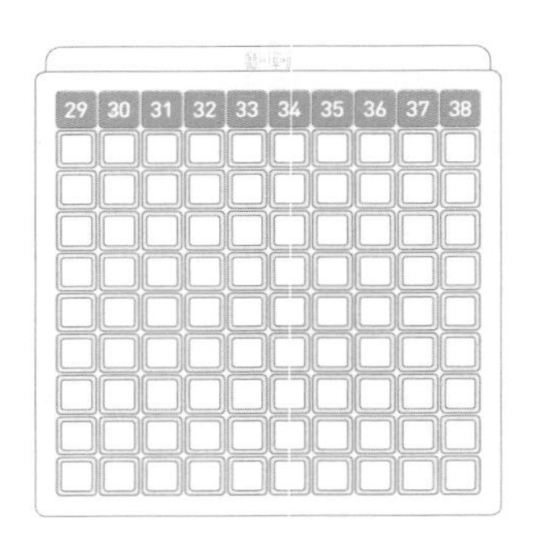

38이 나왔어.
38부터 수의 순서를 거꾸로 하면 37을 찾아야 해.

1 한 사람은 수칩 **1**, 다른 사람은 수칩 **50**을 찾아 백판 보드의 **1**과 **50**의 위치에 수칩을 놓아요.

2 시작과 동시에 수칩 **1**을 가진 사람은 **1**부터 수의 순서대로, 수칩 **50**을 가진 사람은 **50**부터 수의 순서를 거꾸로 하여 백판 보드에 수칩을 놓아요.

3 수칩을 더 많이 놓은 사람이 이겨요. 만약 수칩을 더 많이 놓았더라도 수의 순서가 맞지 않으면 무조건 져요.

준비물 백판 보드, 연두색/하늘색 수칩,
수백판 상자

순서에 맞게 빈칸에 알맞은 수를 써넣으세요.

1	14	15		29		43
2	13		27		41	
3		17			40	
4		18		32		46
	10		24			47
	9	20			37	
7	8		22	35		

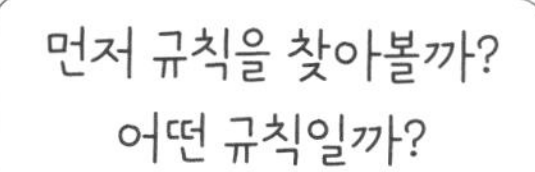

1부터 순서대로
수를 따라가며
빈칸을 채워 봐!

활동 15

빠진 수 찾기

1부터 50까지의 수 중에서 빠진 수를 찾아봅시다.

1 연두색 수칩과 하늘색 수칩을 수가 보이지 않게 놓은 다음 1개를 뽑고, 나머지 칩은 수백판 상자에 넣어요.

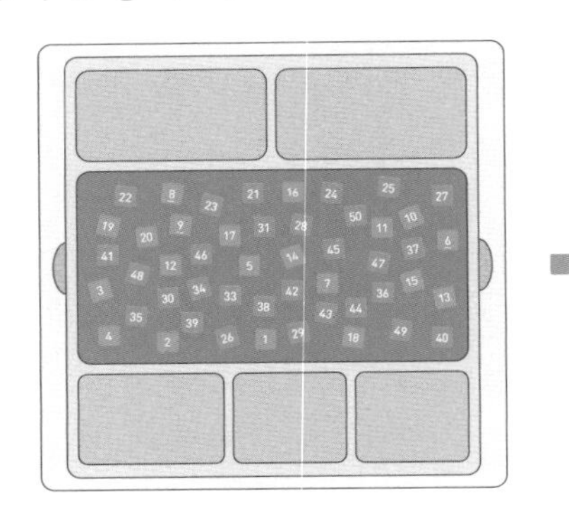

2 수백판 상자에 있는 수칩을 백판 보드에 놓아 보면서 빠진 수를 찾아요.

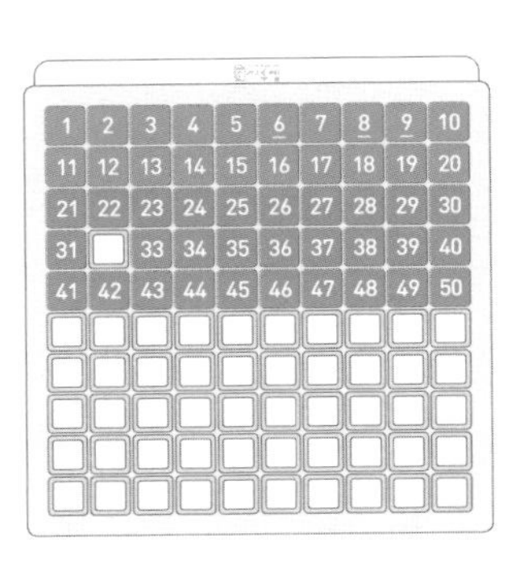

3 빠진 수를 말하고, 뒤집은 수칩의 수를 확인해요.

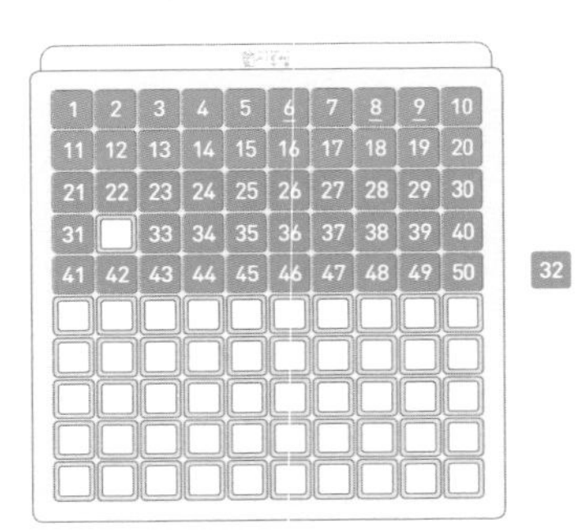

같이 해 볼까요

1 연두색 수칩과 하늘색 수칩을 수백판 상자에 넣어요.
2 한 사람이 상대방이 모르게 수칩을 하나 골라 수를 확인하고, 수가 보이지 않게 가지고 있어요.
3 다른 사람은 백판 보드에 수칩을 놓으면서 상대방이 가지고 있는 수칩의 수를 말해요.
4 서로 역할을 바꾸어 게임을 해 보아요.

준비물 백판 보드, 연두색/하늘색 수칩, 수백판 상자

주어진 범위의 수 중에서 없는 수 하나를 찾아 □ 안에 써넣으세요.

23	27	22
21	29	25
26	30	24

없는 수: □

35	48	44	41
43	40	49	36
46	38	34	45
37	50	42	39

없는 수: □

활동 16 가려진 수

가려진 수를 찾아봅시다.

1 백판 보드에 1~100의 수가 보이도록 판 카드를 넣어요.

2 연두색 수칩과 하늘색 수칩을 각각 5개씩 골라요. 백판 보드에서 같은 수를 찾아 수칩 10개를 수가 보이지 않게 놓아요.

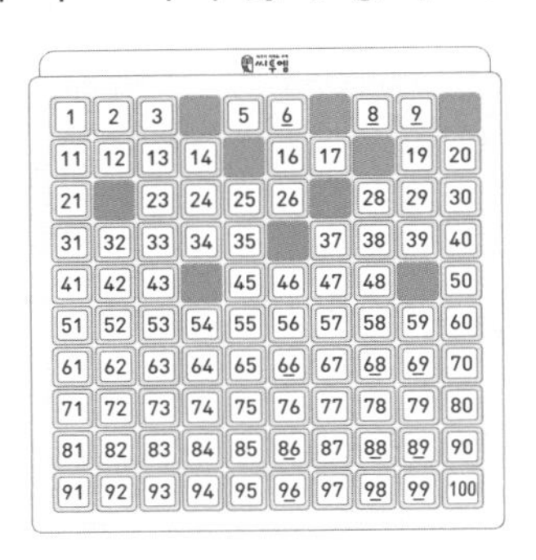

3 백판 보드에서 1-100 판 카드를 빼요. 수칩 1개를 가리키며 칩의 수를 말해요.

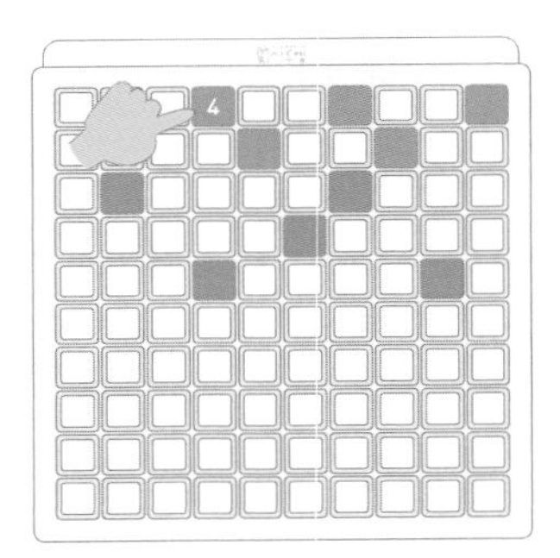

4 수칩을 뒤집어 수를 올바르게 말했는지 확인해요.

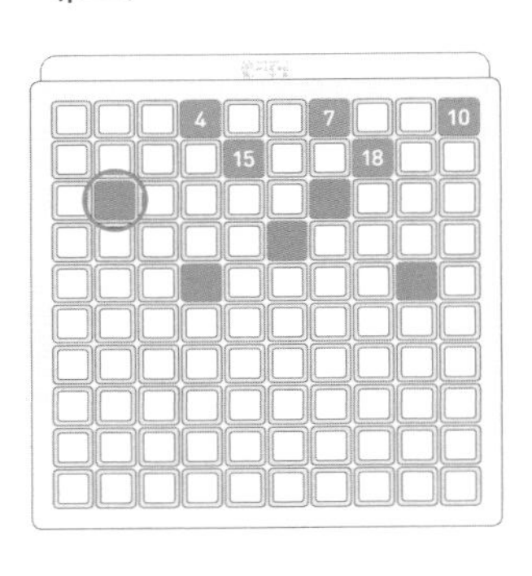

22! 수칩을 뒤집어 확인해 봐야겠어.

같이 해 볼까요

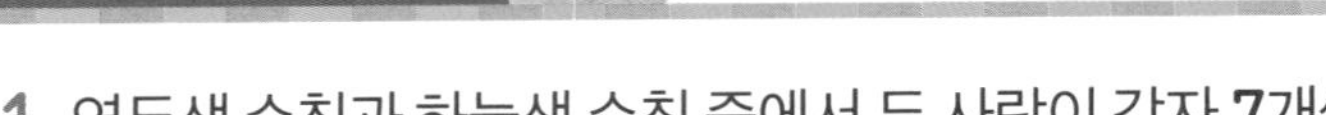

1 연두색 수칩과 하늘색 수칩 중에서 두 사람이 각자 **7**개씩 골라요.

2 한 사람이 먼저 백판 보드에 **1~100**의 수가 보이도록 판 카드를 넣고, 자신의 수칩 **7**개를 수가 보이지 않게 백판 보드에 놓고 판 카드를 빼요.

3 상대방은 수칩의 수를 말하고 수칩을 뒤집어 올바르게 말했는지 확인해요.

4 수칩의 수를 올바르게 말했다면 수칩을 가져가요. 수칩의 개수가 자신의 점수에요.

5 역할을 바꾸어 게임하고, 점수가 더 높은 사람 이겨요.

준비물 백판 보드, 1-100 판 카드,
연두색/하늘색 수칩

수 배열표의 일부에요. 빈칸에 알맞은 수를 써넣으세요.

	2	3	
11		13	14
	22		24

6	7		9	
16		18		20
	27		29	

		15	
23		25	
	34		36
	44		

		16	
	25		
	35	36	
44		46	

	17	18		
	27	28	29	
		38	39	

	3		5	
12		14		
	23			
		34	35	

활동 17

50까지 채우기

50까지의 수를 백판 보드에 채워 봅시다.

1 연두색 수칩과 하늘색 수칩을 수백판 상자에 넣고, 백판 보드를 준비해요.

2 스톱워치 시작과 동시에 수칩을 자리에 맞게 백판 보드를 채워요.

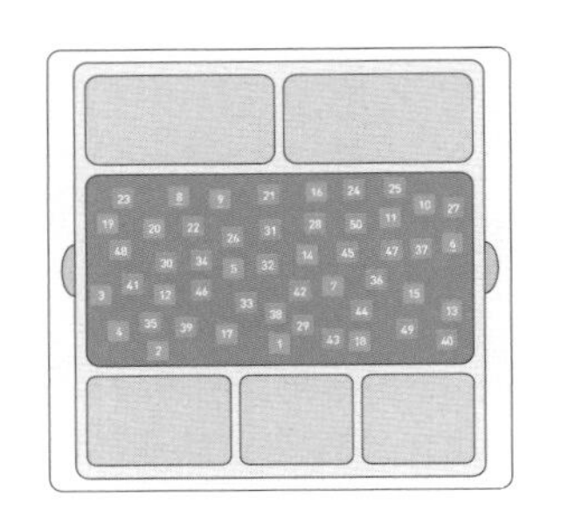

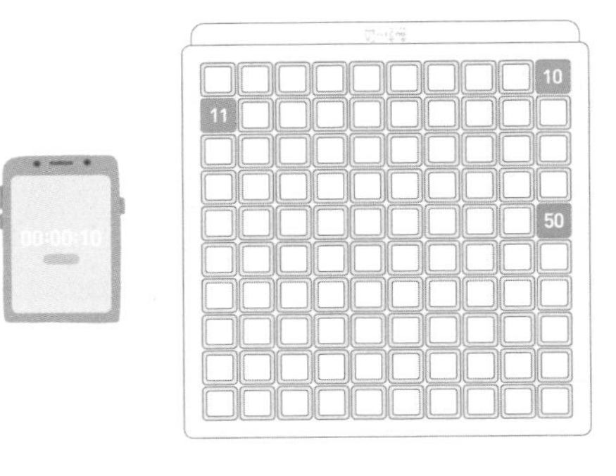

3 다 채우면 스톱워치를 종료해요. 수칩을 모두 올바르게 채웠다면 걸린 시간을 기록해요. 만약 잘못 놓은 수칩이 있으면 수칩 1개당 10초씩 더해요. 나의 기록을 표에 기록해요.

나의 기록

	1회	2회	3회	4회
시간	분 초	분 초	분 초	분 초

같이 해 볼까요

1 백판 보드와 연두색 수칩과 하늘색 수칩을 준비해요.

2 한 사람은 시간을 재고, 다른 사람은 수칩으로 백판 보드를 채워요.

3 수칩을 모두 올바르게 채웠다면 걸린 시간을 기록하고, 잘못 놓은 수칩이 있으면 수칩 1개당 10초씩 더한 점수가 자신의 기록이에요.

4 역할을 바꾸어 게임을 하고 두 사람의 기록을 비교하여 시간이 더 적게 걸린 사람이 이겨요.

준비물 백판 보드, 연두색/하늘색 수칩, 수백판 상자

50까지의 수 배열표에서 색칠한 수를 찾아 □ 안에 써넣으세요.

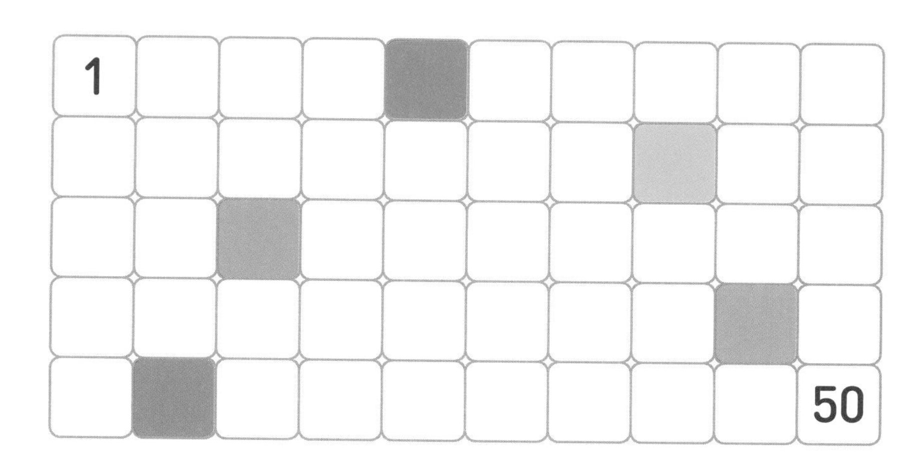

= □　　= □　　= □

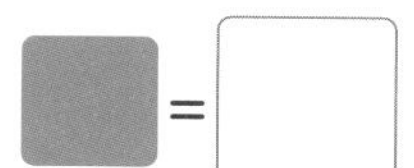

= □　　= □

50까지의 수 배열표에서 주어진 수가 있는 칸을 찾아 색칠하세요.

24 =　　39 =　　46 =　　7 =　　12 =

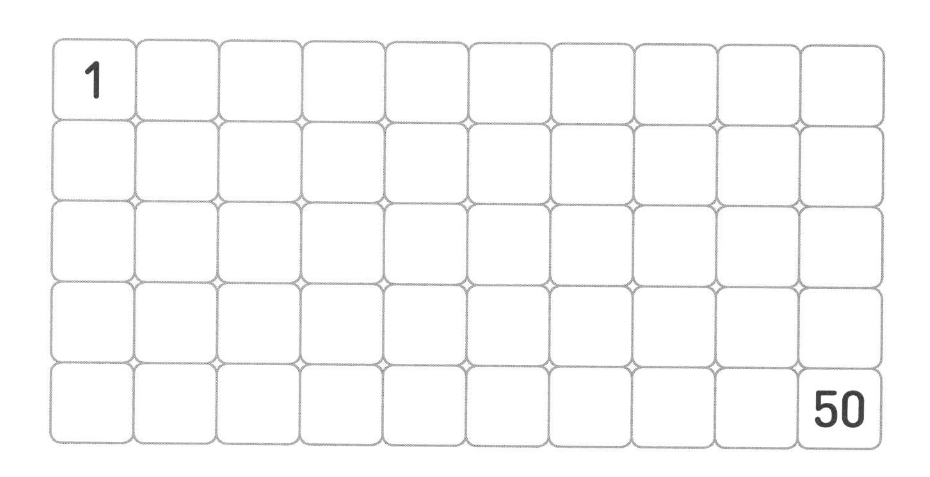

활동 18 뛰어 세기

백판 보드에서 뛰어 센 수를 찾아봅시다.

1. 백판 보드에 1~100의 수가 보이도록 판 카드를 넣어요.

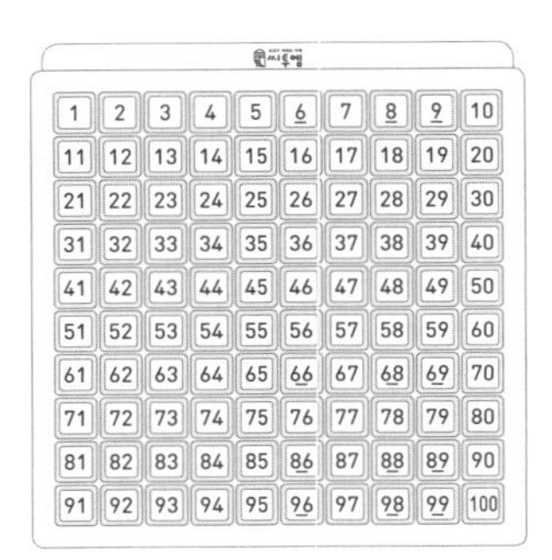

2. 2부터 2씩 뛰어 센 수를 찾아 50까지의 수까지 색깔칩을 놓아요.

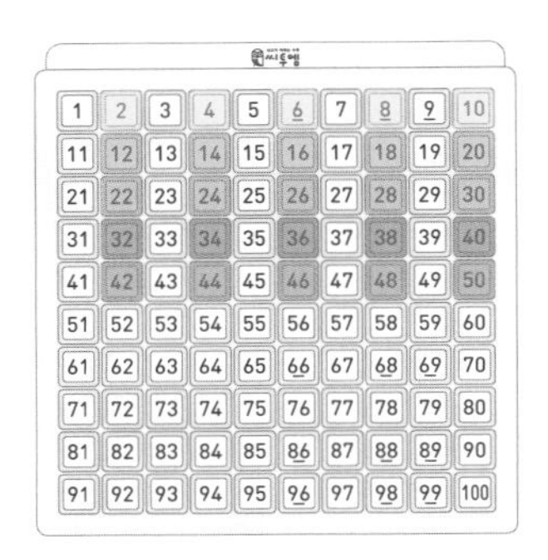

3. 같은 방법으로 3부터 3씩, 4부터 4씩, 5부터 5씩, 뛰어 센 수를 찾아 색깔칩을 놓아요.

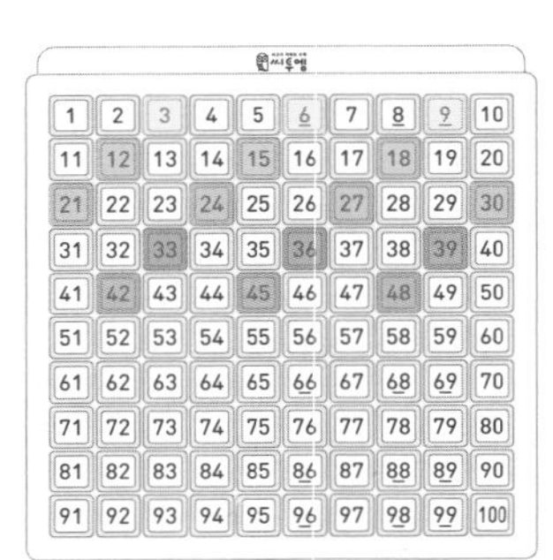

4. 이번에는 백판 보드에 수 읽기, 양 읽기 판 카드를 넣고 같은 방법으로 활동해 보아요.

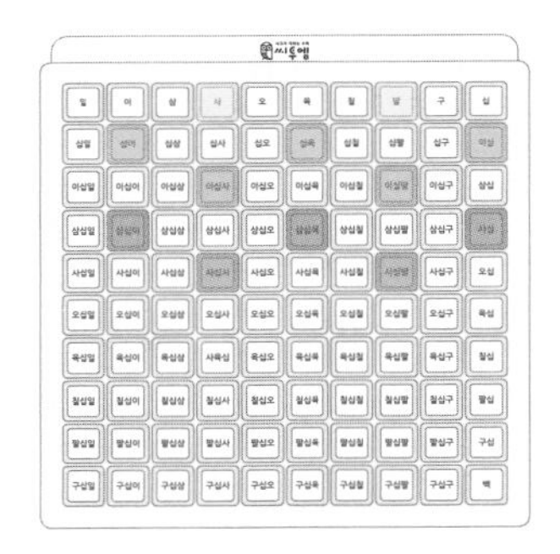

준비물 백판 보드, 1-100 판 카드, 수 읽기/양 읽기 판 카드, 색깔칩

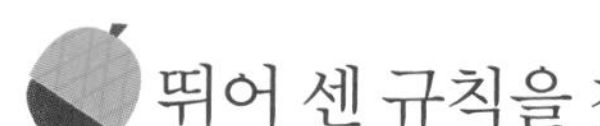
뛰어 센 규칙을 찾아 □ 안에 알맞은 수를 써넣으세요.

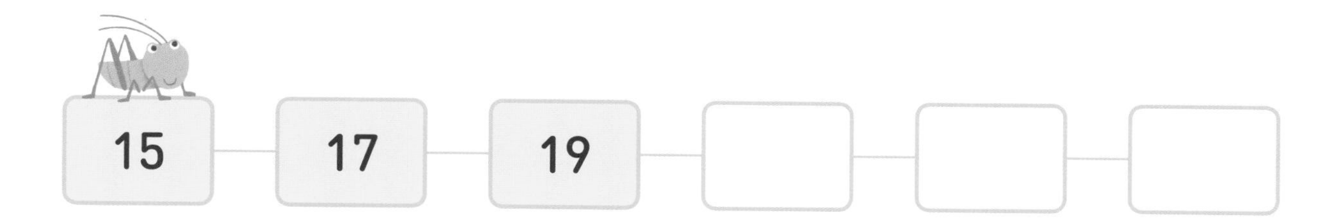

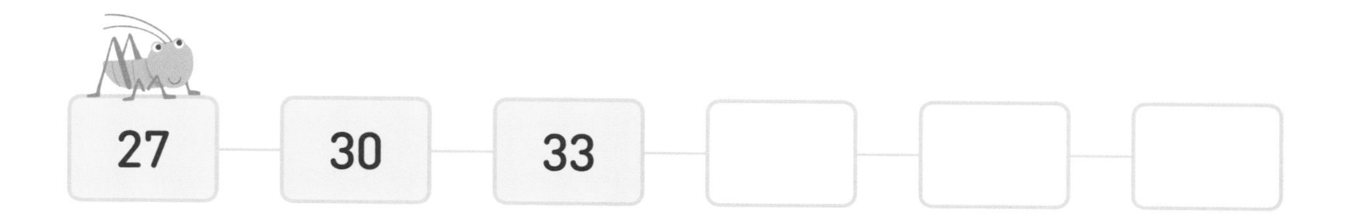

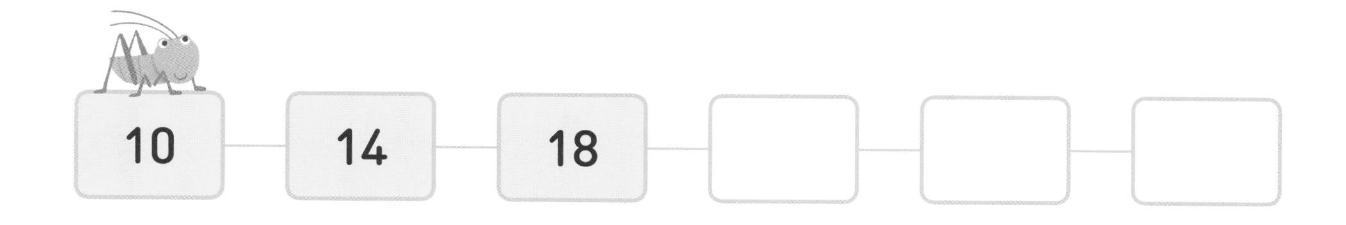

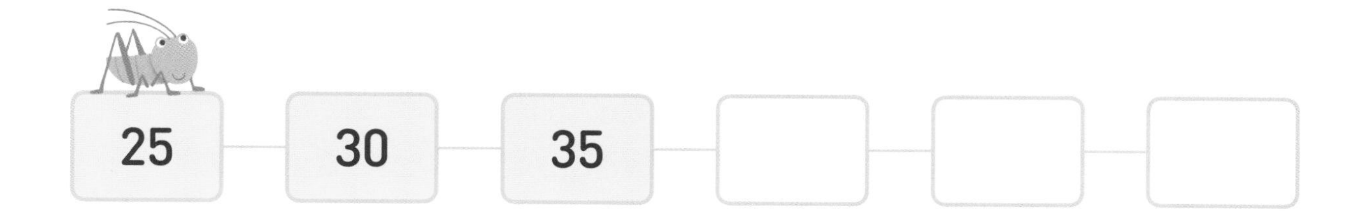

활동 19

몇씩 몇 번 뛰어 센 수

몇씩 몇 번 뛰어 센 수를 찾아봅시다.

1. 백판 보드에 1~100의 수가 보이도록 판 카드를 넣고, 2부터 5까지의 수칩을 수가 보이지 않게 자유롭게 펼쳐 놓아요.

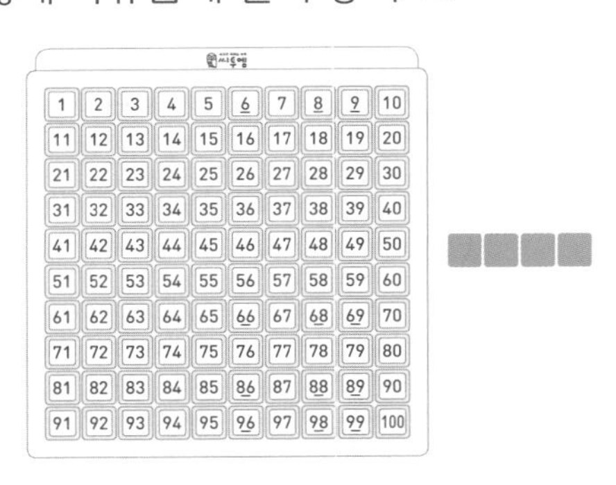

2. 연두색 수칩 4개 중 1개를 골라 수가 보이도록 놓고, 십면체 주사위(0~9)를 굴려요.

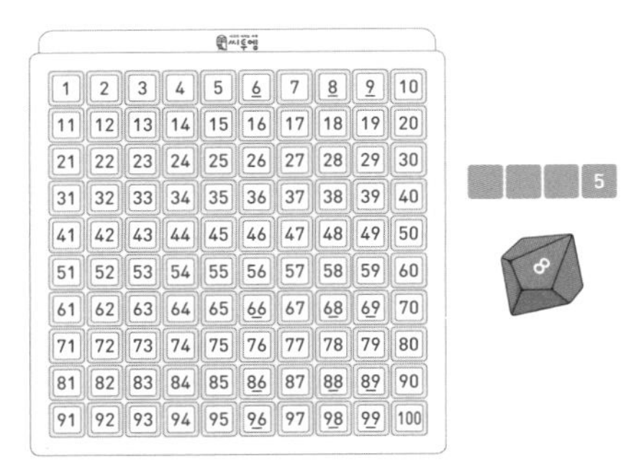

3. 수칩은 시작하는 수와 몇씩 뛰어 세는 수를 주사위의 수는 뛰어 센 횟수를 나타내요.

주사위를 굴려
'0'이 나오면
10번 뛰어 세어.

4. 수칩의 수부터 뛰어 센 수를 모두 찾아 백판 보드에 색깔칩을 놓아요.

5부터 5씩 8번
뛰어 센 수는 45야.

같이 해 볼까요

1. 백판 보드에 **1~100**의 수가 보이도록 판 카드를 넣고, 수칩 **2~5**를 수가 보이지 않게 뒤집어 놓아요. 두 사람이 각자 색깔칩을 **5**개씩 준비해요.
2. 한 사람은 연두색 수칩 중 **1**개를 고르고, 다른 사람은 십면체 주사위(**0~9**)를 굴려요.
3. 수칩은 시작하는 수와 몇씩 뛰어 세는 수를 주사위의 수는 몇 번 뛰어 센 수를 나타내요.
4. 두 사람이 동시에 조건에 맞는 수를 찾아 백판 보드에 자신의 색깔칩을 놓아요.
5. 자신의 색깔칩을 더 많이 놓은 사람이 이겨요.

준비물 백판 보드, 1-100 판 카드, 연두색 수칩, 색깔칩, 십면체 주사위(0~9)

수칩의 수는 시작하는 수와 몇씩 뛰어 센 수, 주사위의 수는 뛰어 센 횟수를 나타내요. 수칩과 주사위의 수만큼 뛰어 센 수를 찾아 색칠하세요.

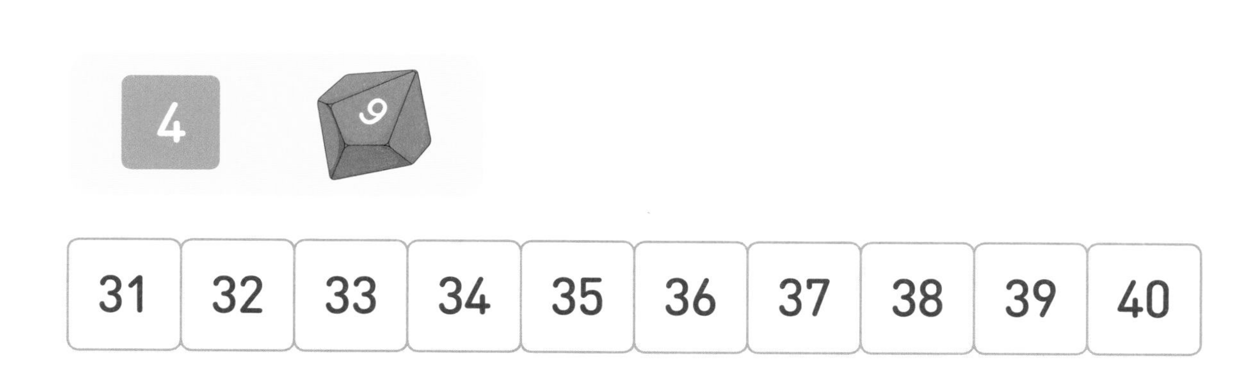

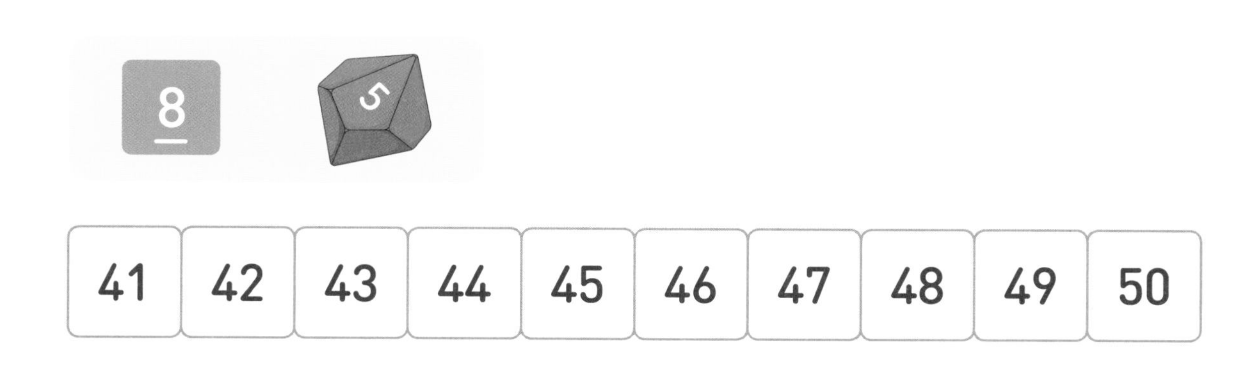

활동 20 수의 크기 비교

수의 크기를 비교하여 더 큰 수를 찾아봅시다.

1 연두색 수칩과 하늘색 수칩을 수백판 상자에 수가 보이지 않게 준비해요.

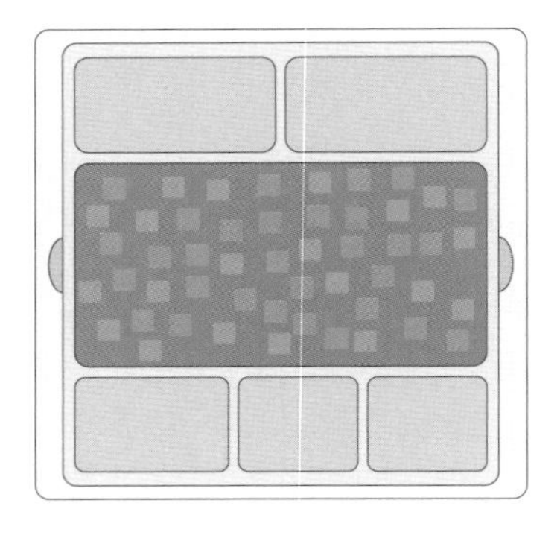

2 수백판 상자에서 5개를 고른 후, 작은 수부터 수가 커지도록 백판 보드에 놓아요.

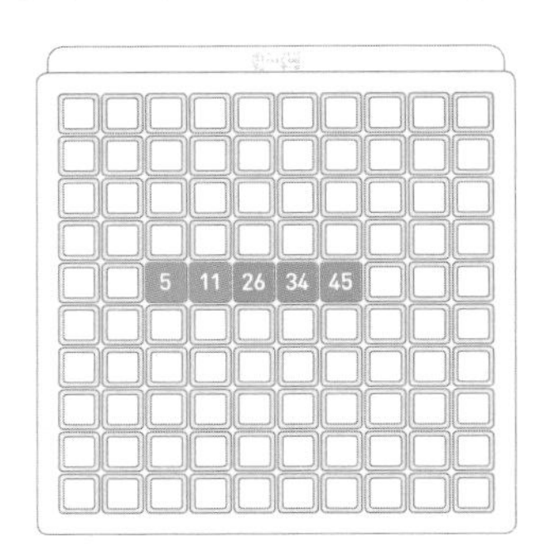

3 이번에는 칩 5개를 고른 후, 큰 수부터 수가 작아지도록 백판 보드에 놓아요.

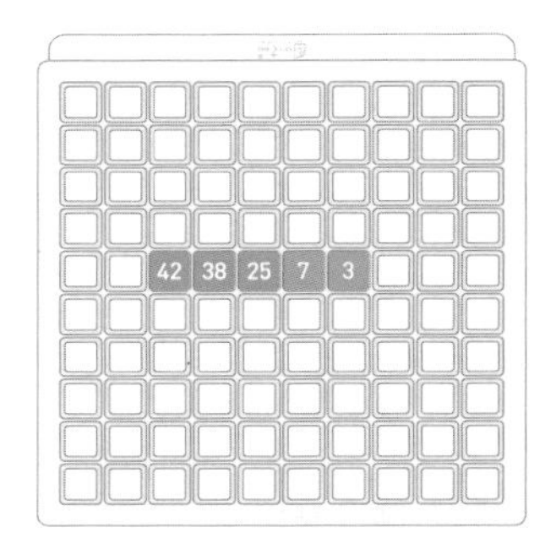

같이 해 볼까요

1 연두색 수칩과 하늘색 수칩을 수백판 상자에 수가 보이지 않게 준비해요.

2 두 사람이 각자 수칩을 10개씩 가져오고, 백판 보드의 맨 윗줄과 맨 아랫줄 중 자신의 수칩을 놓을 곳을 정해요.

3 시작과 동시에 자신의 수칩을 작은 수부터 수가 커지도록 백판 보드에 놓아요.

4 먼저 올바르게 놓은 사람이 이겨요.

5 같은 방법으로 큰 수부터 수가 작아지도록 놓는 게임도 해 보아요.

준비물 백판 보드, 연두색/하늘색 수칩, 수백판 상자

계단을 올라갈수록 더 큰 수가 되도록 주어진 수를 ☐ 안에 써넣으세요.

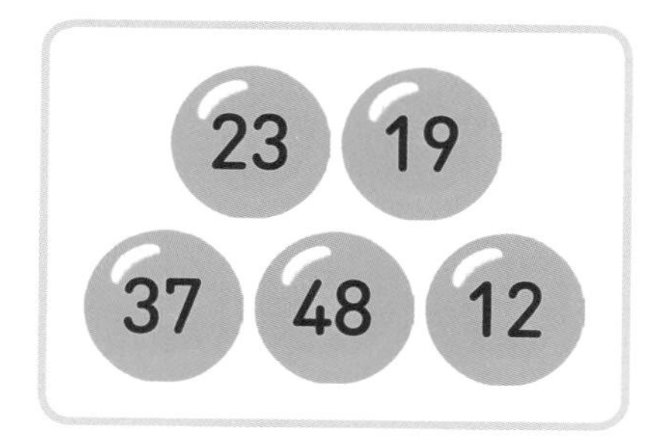

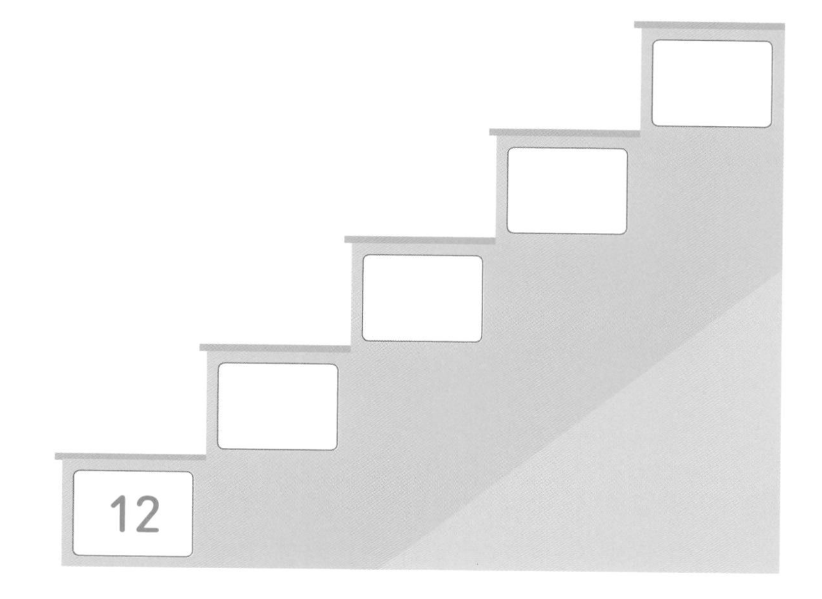

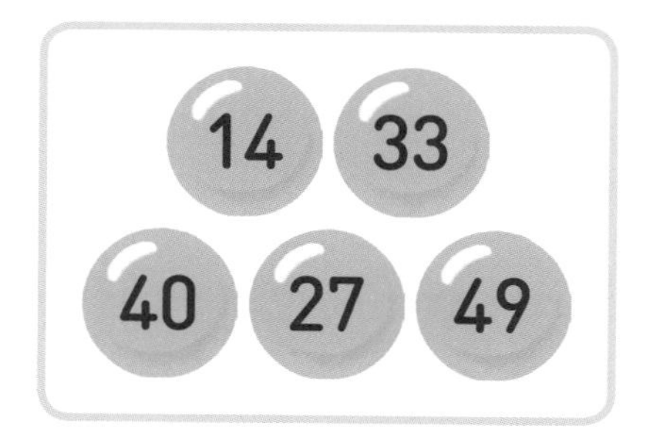

활동 21 커지도록, 작아지도록

수의 크기를 비교하여 큰 수부터 순서대로 놓아 봅시다.

1 수백판 상자에 수가 보이지 않게 연두색 수칩과 하늘색 수칩을 준비해요.

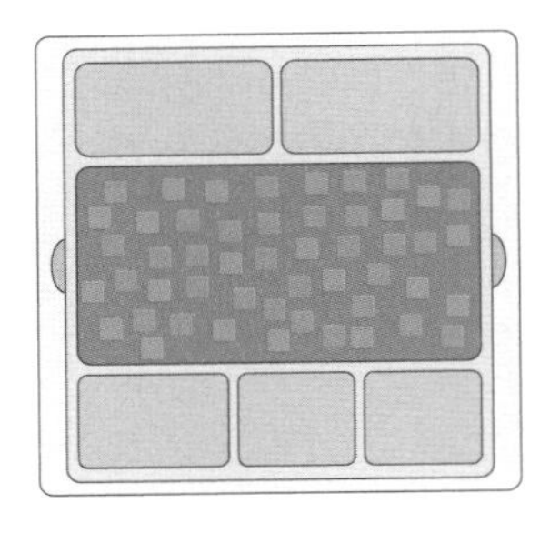

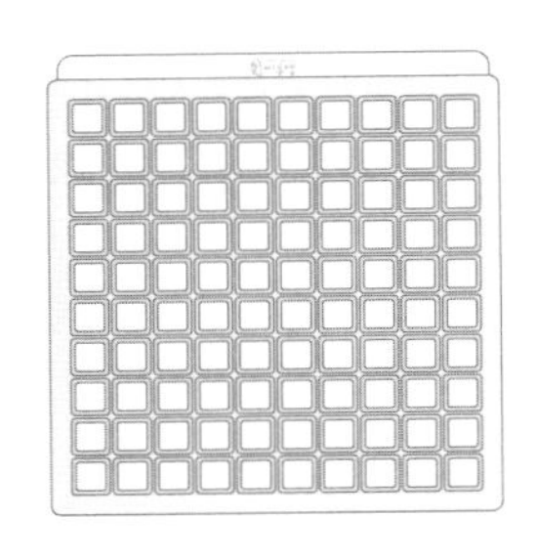

2 수칩을 1개씩 뽑아 백판 보드 맨 윗줄 왼쪽 칸부터 놓아요. 수칩은 수가 점점 커지도록 놓을 수 있어요.

3 만약 고른 수가 백판 보드의 수보다 작은 수이거나 백판 보드에 놓지 않으려면 수칩을 수가 보이지 않게 수백판 상자에 넣어요.

7
10
12
38
38이 나왔네.
큰 수니깐 놓지
말아야겠어.

4 맨 윗줄 10칸을 모두 채울 때까지 수칩을 뽑아 보아요. 이번에는 같은 방법으로 수가 점점 작아지도록 활동해 보아요.

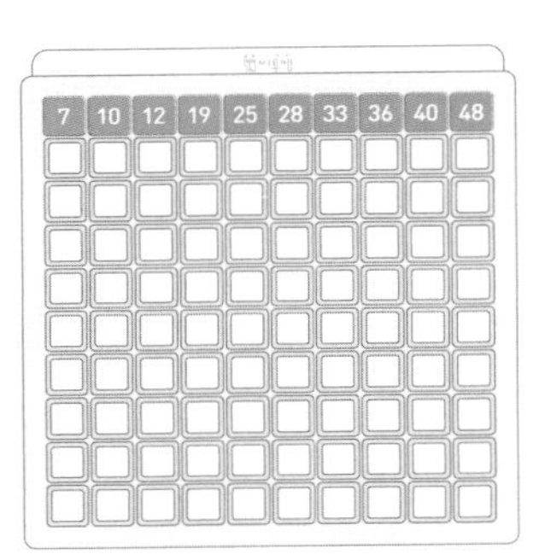

같이 해 볼까요

1 수백판 상자에 수가 보이지 않게 연두색 수칩과 하늘색 수칩을 준비해요.
2 두 사람이 각자 백판 보드 맨 윗줄과 맨 아랫 줄 중에서 자신의 수칩을 놓을 위치를 정해요.
3 번갈아 가며 1개씩 수칩을 뽑고 자신의 수칩을 백판 보드에 놓을지, 놓지 않을지 결정해요. 한 번 놓은 수칩은 자리를 옮길 수 없어요.
4 자신이 뽑은 수칩을 백판 보드에 놓지 않으려면 다시 수백판 상자에 수가 보이지 않게 넣어요.
5 수가 점점 커지도록 10칸을 먼저 채운 사람이 이겨요.

준비물 백판 보드, 연두색/하늘색 수칩,
수백판 상자

수가 점점 커지도록 수칩을 놓으려다 2개를 잘못 놓았어요. 잘못 놓은 수칩 2개를 찾아 ×표 하고, 수가 커지도록 □ 안에 알맞은 수를 써넣으세요.

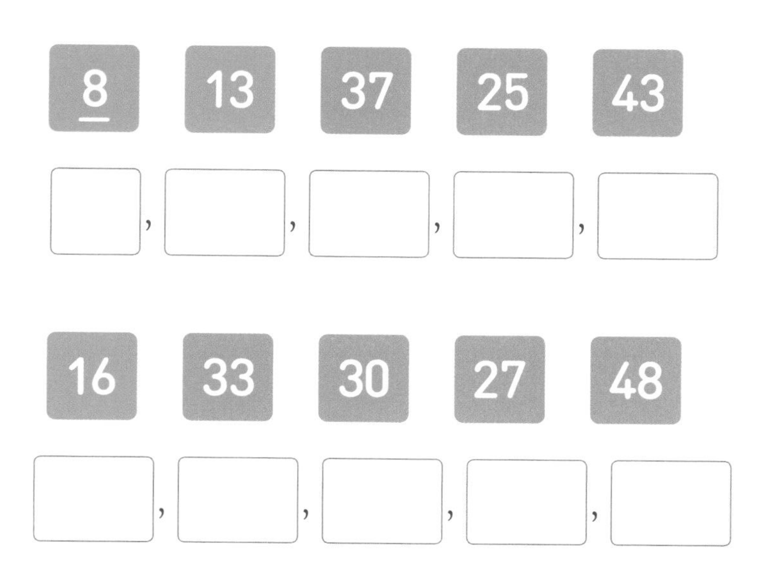

수가 점점 작아지도록 수칩을 놓으려다 2개를 잘못 놓았어요. 잘못 놓은 수칩 2개를 찾아 ×표 하고, 수가 작아지도록 □ 안에 알맞은 수를 써넣으세요.

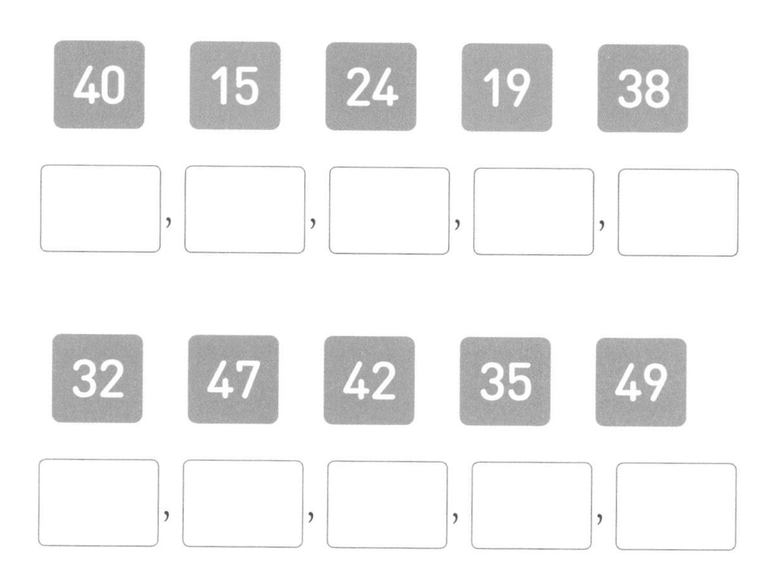

활동 22

큰 수, 작은 수

조건에 맞는 큰 수, 작은 수를 찾아봅시다.

1 백판 보드에 1~100의 수가 보이도록 판 카드를 넣고, 백판 보드의 25칸에 색깔칩 1개를 놓아요.

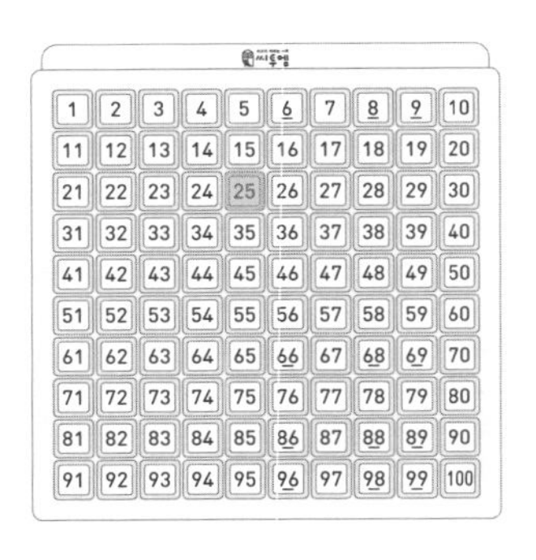

2 큰 수 작은 수 주사위를 굴리고, 25를 기준으로 조건에 맞는 수를 찾아 색깔칩을 놓아요.

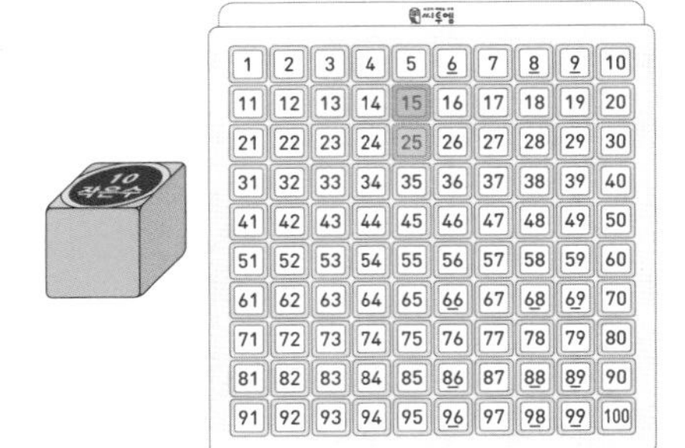

3 다시 주사위를 굴리고, 25를 기준으로 조건에 맞는 수를 찾아 색깔칩을 놓아요. 만약 조건에 맞는 수에 색깔칩이 있다면 다시 굴려요.

20부터 40까지의 수 중에 1개를 골라 같은 방법으로 여러 번 활동해 봐.

같이 해 볼까요

1 백판 보드에 1~100의 수가 보이도록 판 카드를 넣고, 두 사람이 각자 색깔칩을 5개씩 준비해요.

2 한 사람은 이십면체 주사위, 다른 사람은 큰 수 작은 수 주사위를 굴려요.

3 두 사람이 동시에 주사위를 굴려 나온 조건에 맞는 수를 백판 보드에서 찾아 자신의 색깔칩을 놓아요. 조건에 맞는 수가 없으면 주사위를 다시 굴려요.

4 여러 번 게임을 하다 자신의 색깔칩 5개를 백판 보드에 모두 놓은 사람이 이겨요.

준비물 백판 보드, 1-100 판 카드, 색깔칩, 큰 수 작은 수 주사위

보기 와 같이 10 큰 수, 10 작은 수, 1 큰 수, 1 작은 수를 써넣으세요.

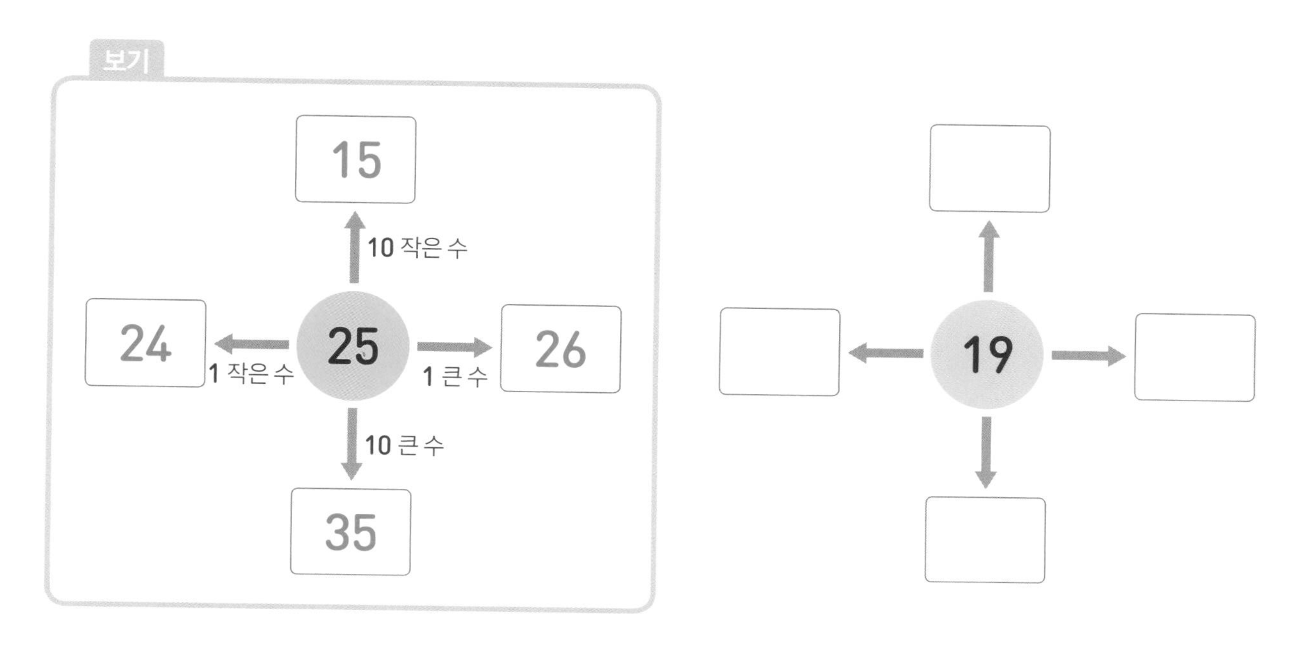

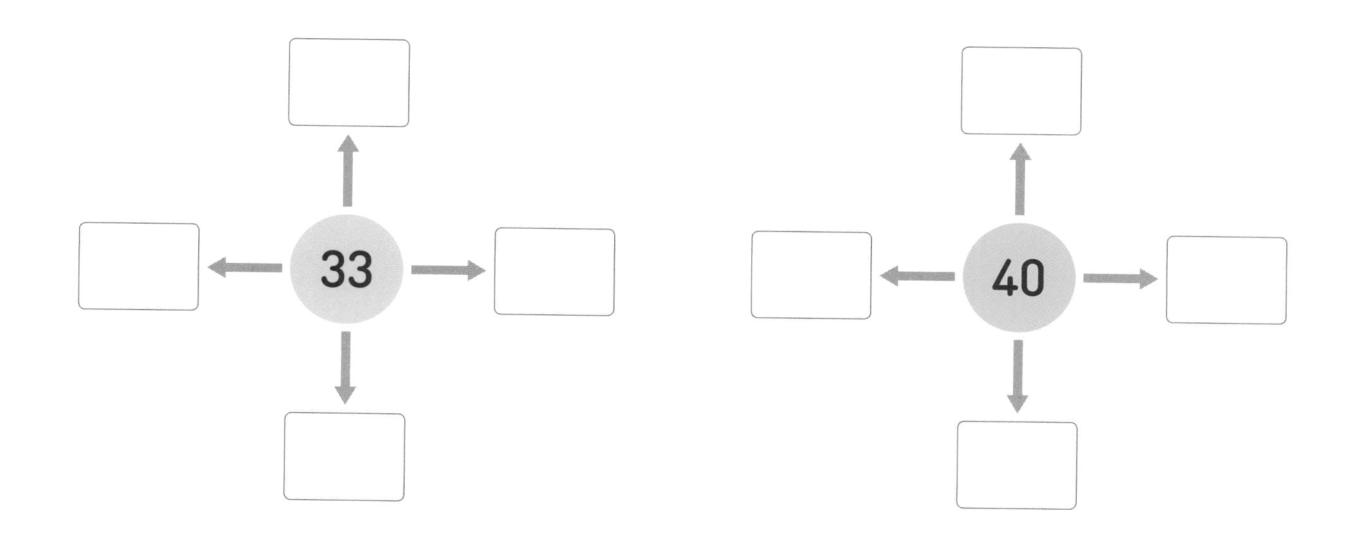

확인학습1

1 으로 보기 모양을 몇 개 만들고, 몇 개 남는지 ☐ 안에 알맞은 수를 써넣으세요.

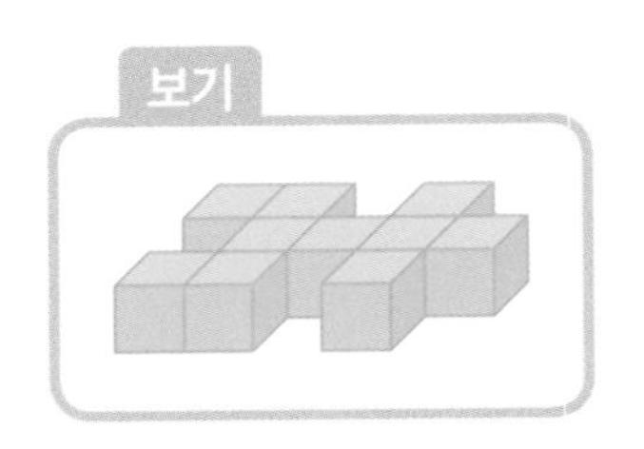

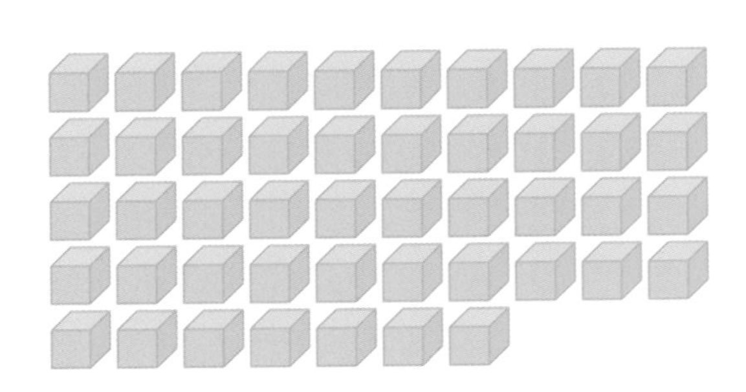

☐개 만들고, ☐개 남습니다.

2 알맞게 이어 보세요.

10개 묶음 4개, 낱개 9개인 수	36
10개 묶음 3개, 낱개 6개인 수	49

3 31부터 50까지의 수를 순서대로 이어 보세요.

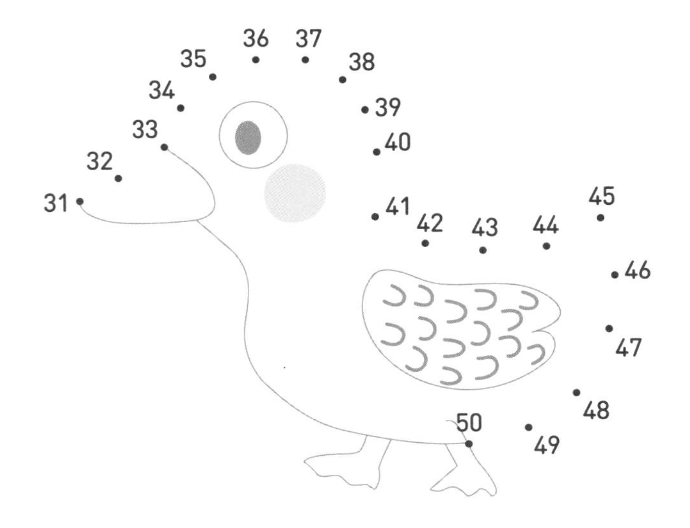

4 뛰어 센 규칙을 찾아 색칠해 보세요.

11	12	13	14	15	16	17	18	19	20
21	22	23	24	25	26	27	28	29	30
31	32	33	34	35	36	37	38	39	40
41	42	43	44	45	46	47	48	49	50

5 큰 수부터 순서대로 써 보세요.

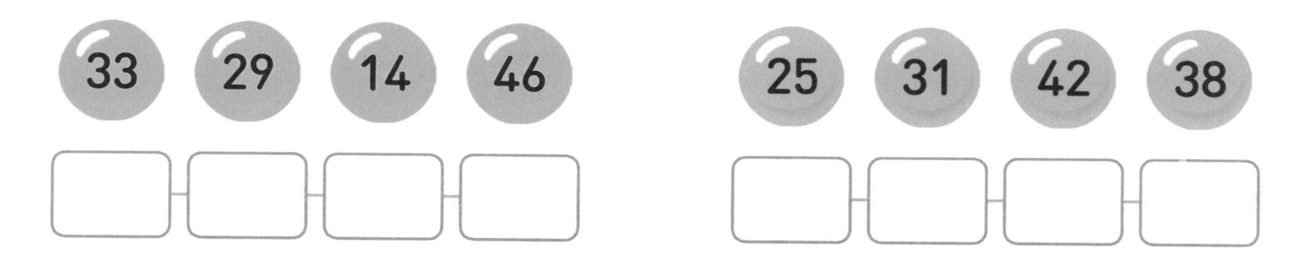

6 오른쪽으로 한 칸씩 갈수록 1씩 커지고, 아래로 한 칸씩 갈수록 10씩 커져요. 빈칸에 알맞은 수를 써넣으세요.

	8	9
		19
27		

	22	23	
	32		34
41		43	

확인학습2

1 알맞게 이어 보세요.

14	이십칠	서른둘
27	사십구	열넷
32	십사	마흔아홉
49	삼십이	스물일곱

2 빈칸에 알맞은 수를 써넣으세요.

수		10개씩 묶음	낱개
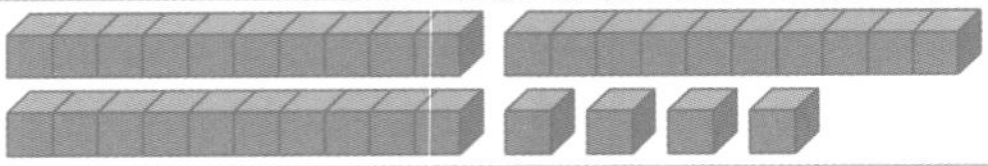			
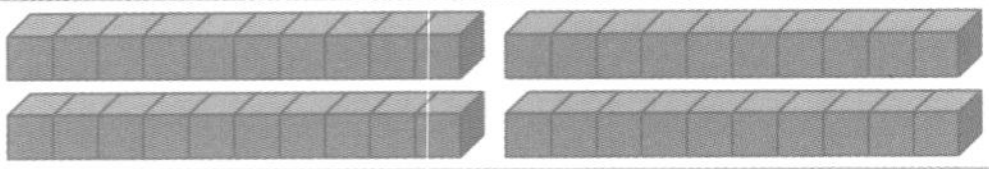			

3 규칙을 찾아 빈칸에 알맞은 수를 써넣으세요.

31	32		34		36
44		46		48	37
43			40		38

4 뛰어 센 규칙을 찾아 빈칸에 알맞은 수를 써넣으세요.

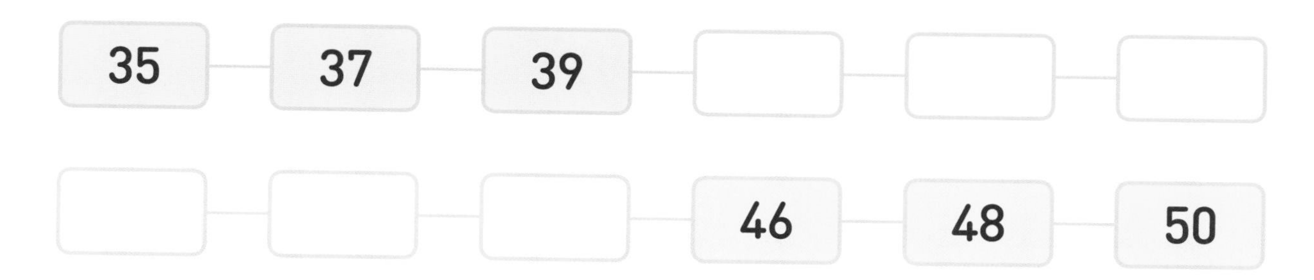

5 작은 수부터 순서대로 써 보세요.

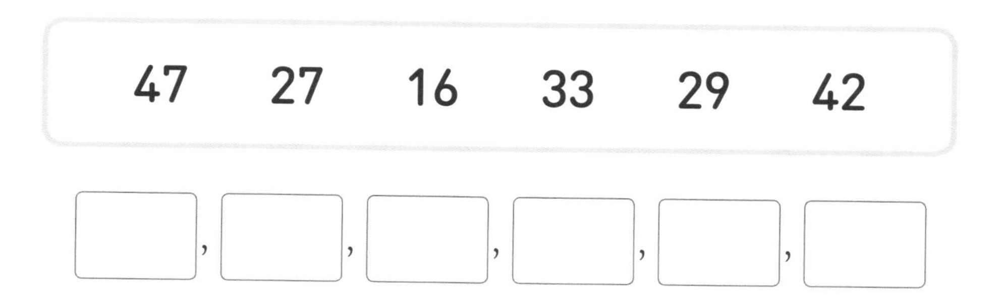

6 주어진 수를 찾아 알맞게 표시해 보세요.

24보다 1 큰 수 ○표　　39보다 1 작은 수 □표
40보다 10 큰 수 ♡표　　42보다 10 작은 수 ☆표

21	22	23	24	25	26	27	28	29	30
31	32	33	34	35	36	37	38	39	40
41	42	43	44	45	46	47	48	49	50

확인학습3

1 빈칸에 알맞은 수를 써넣으세요.

수	10개씩 묶음	낱개
17	1	7
24		
	3	9
	4	3

2 빈칸에 알맞은 말을 써넣으세요.

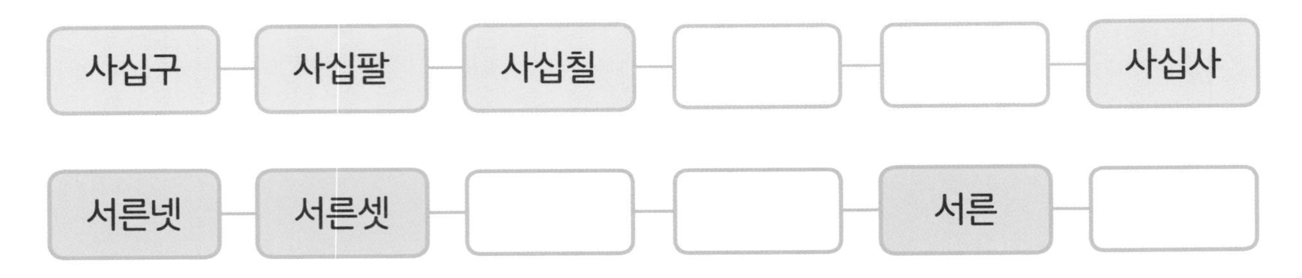

3 2부터 시작하여 □씩 뛰어 센 수칩을 순서대로 놓았어요. 뛰어 센 수를 □ 안에 써넣으세요.

뛰어 센 수: □

4 보기 에 알맞은 수를 모두 찾아 ◯표 하세요.

보기

10개 묶음 4개, 낱개 7개인 수보다 큰 수

42 43 44 46 48 49

5 도서관에서 1월에는 책을 27권 빌리고, 2월에는 1월보다 10권 적게 빌렸어요. 3월에는 19권 빌리고, 4월에는 3월보다 10권 많게 빌렸어요. 가장 많이 빌린 달부터 순서대로 써 보세요.

6 오른쪽으로 한 칸씩 갈수록 1씩 커지고, 아래로 한 칸씩 갈수록 10씩 커져요. 빈칸에 알맞은 수를 써넣으세요.

	29	
48		

정답과 해설

정답과 해설

p.7

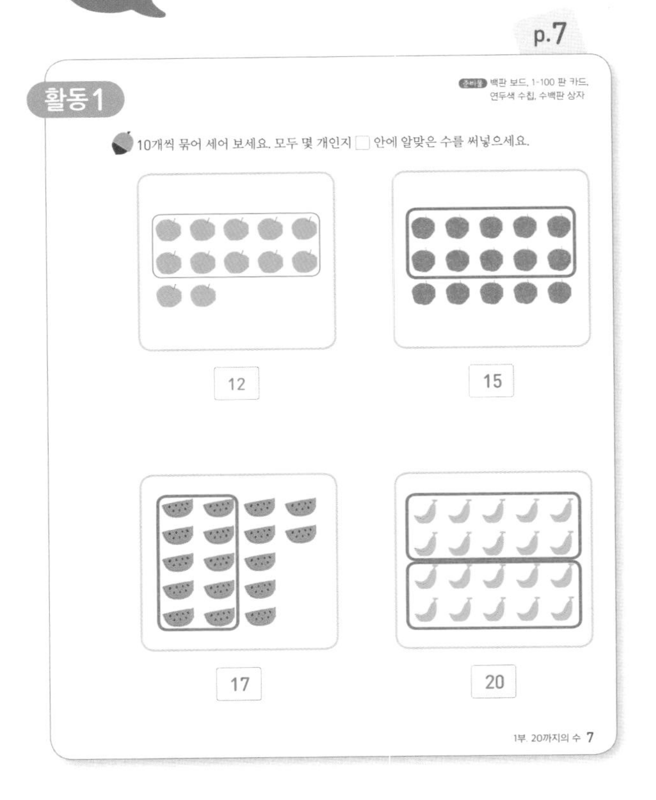

p.9

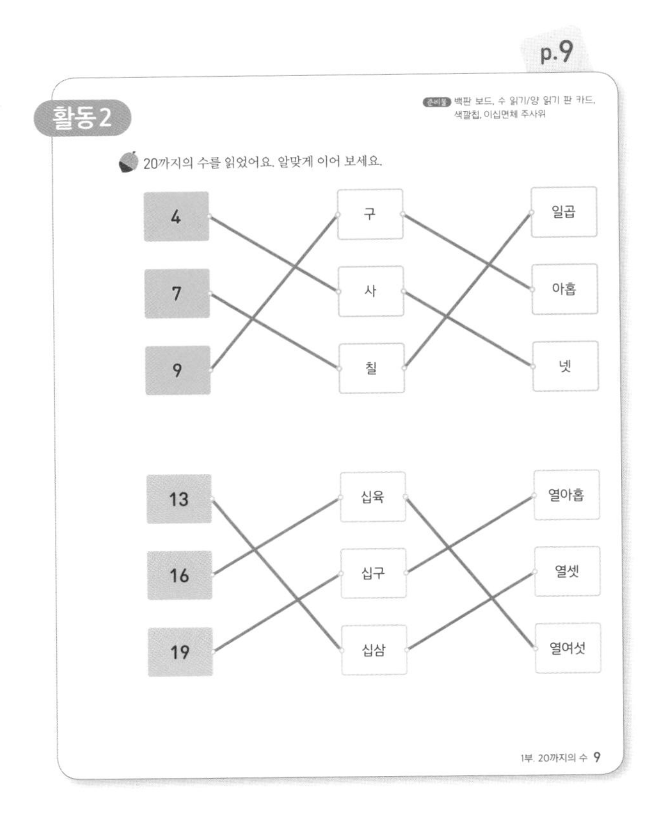

p.11

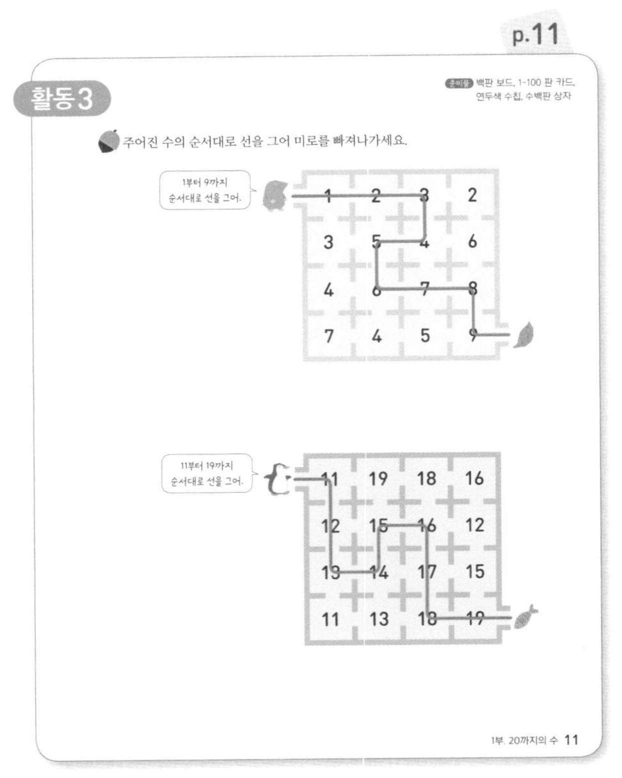

p.13

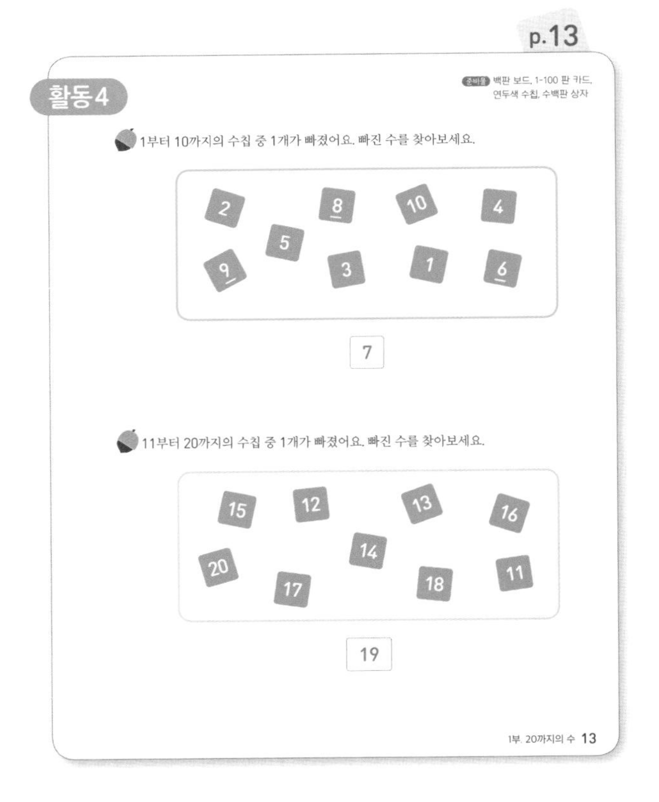

p.15

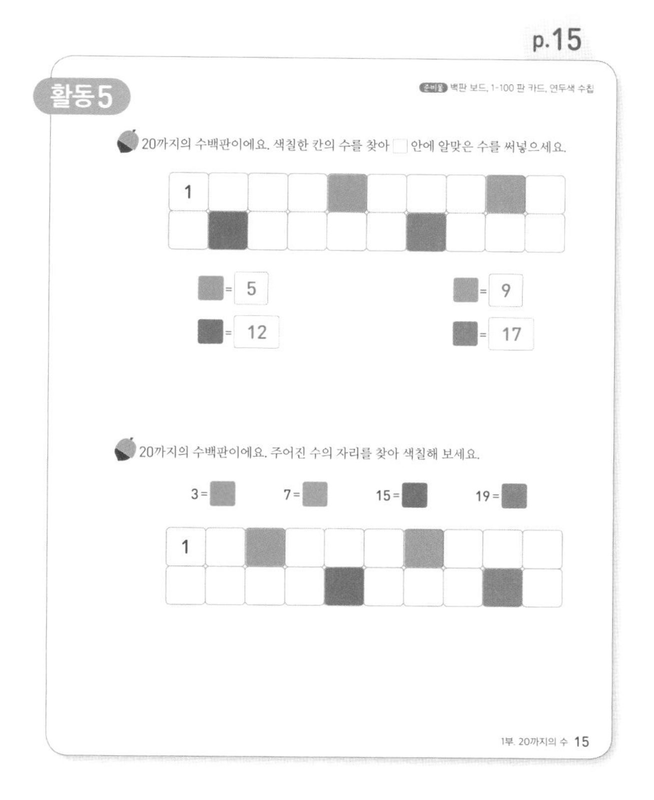

p.17

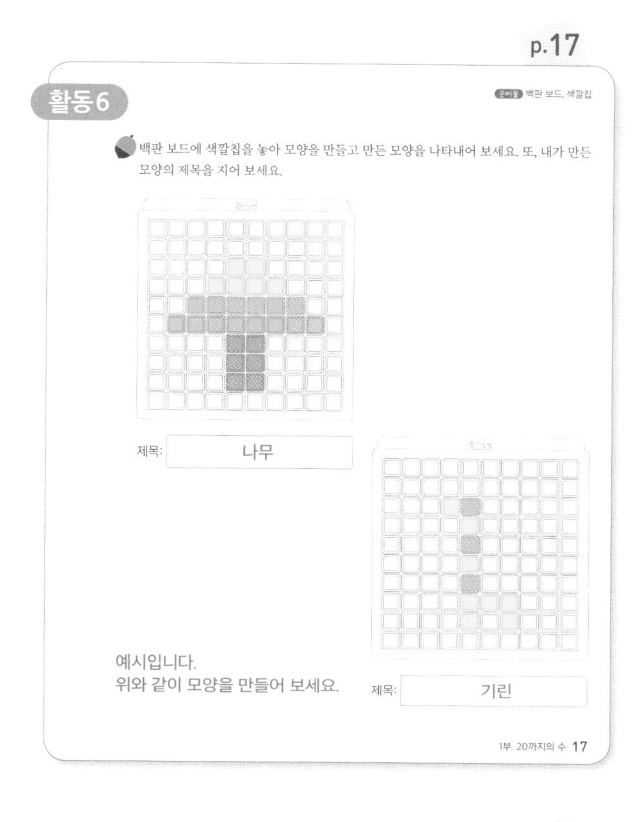

p.19

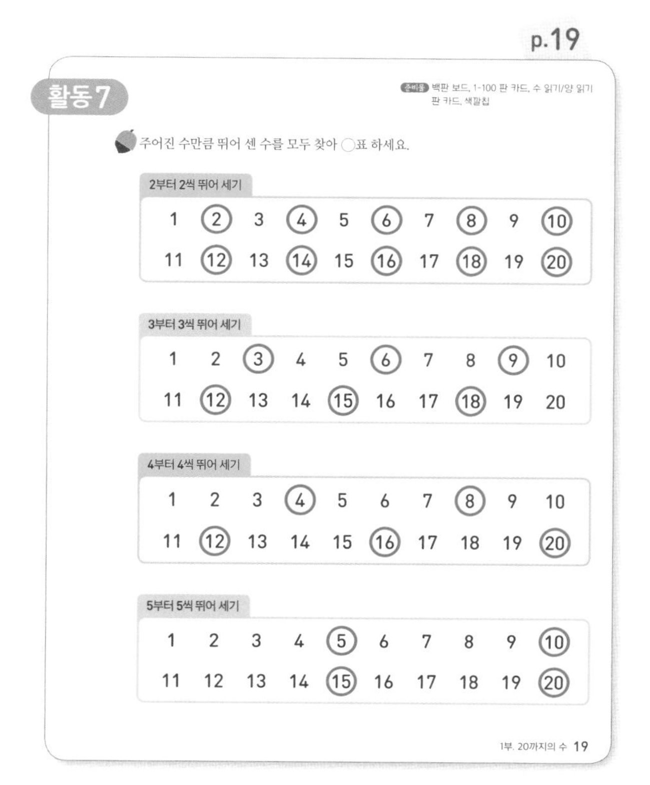

p.21

정답과 해설

p.23

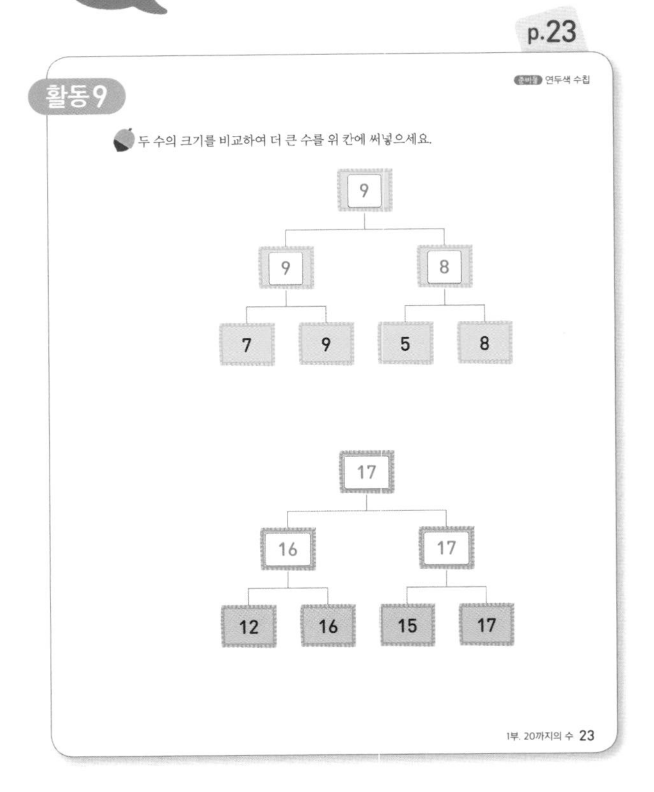

p.25

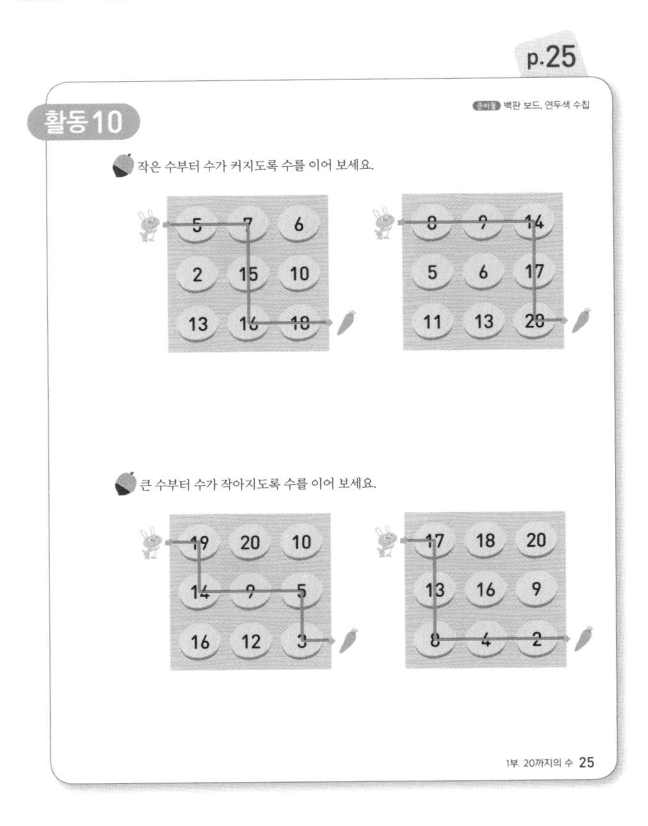

p.27

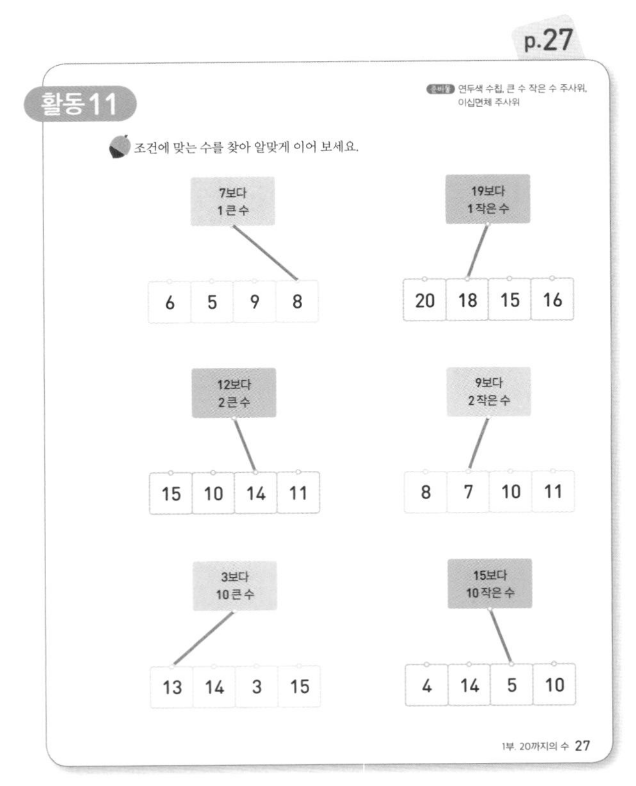

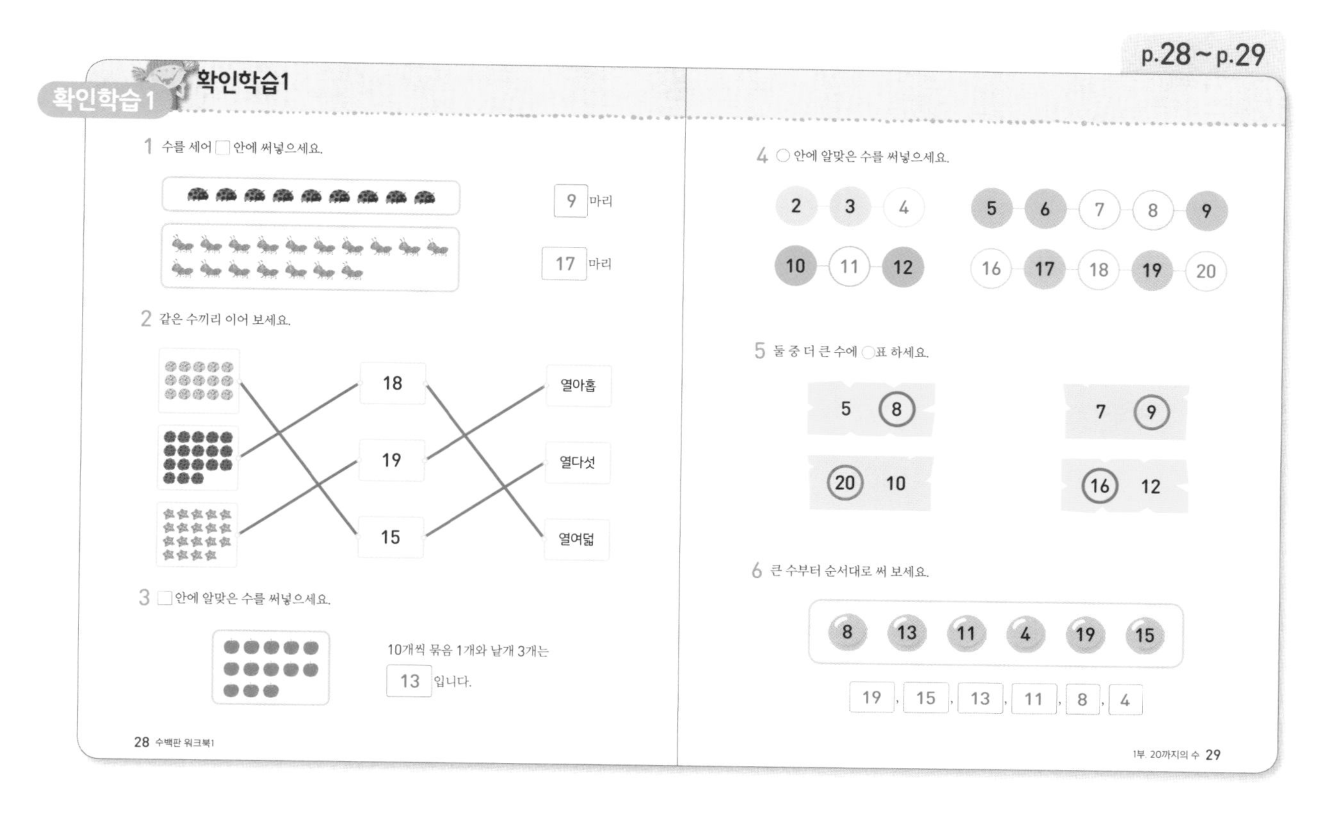

p.28 ~ p.29

확인학습 1

확인학습1

1 수를 세어 □ 안에 써넣으세요.

9 마리

17 마리

2 같은 수끼리 이어 보세요.

18 19 15

열아홉 열다섯 열여덟

3 □ 안에 알맞은 수를 써넣으세요.

10개씩 묶음 1개와 낱개 3개는 13 입니다.

28 수백판 워크북1

4 ○ 안에 알맞은 수를 써넣으세요.

2 3 4 5 6 7 8 9

10 11 12 16 17 18 19 20

5 둘 중 더 큰 수에 ○표 하세요.

5 (8) 7 (9)

(20) 10 (16) 12

6 큰 수부터 순서대로 써 보세요.

8 13 11 4 19 15

19, 15, 13, 11, 8, 4

1부. 20까지의 수 29

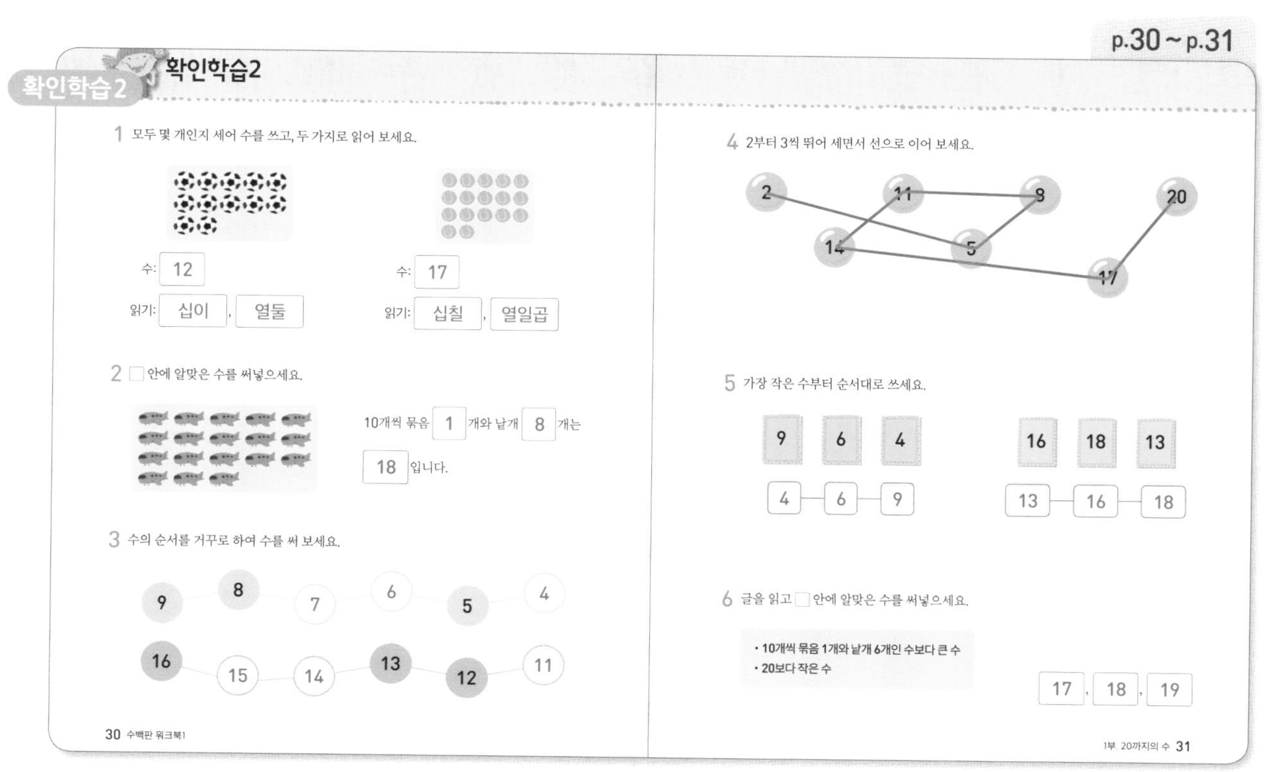

p.30 ~ p.31

확인학습 2

확인학습2

1 모두 몇 개인지 세어 수를 쓰고, 두 가지로 읽어 보세요.

수: 12

읽기: 십이, 열둘

수: 17

읽기: 십칠, 열일곱

2 □ 안에 알맞은 수를 써넣으세요.

10개씩 묶음 1 개와 낱개 8 개는 18 입니다.

3 수의 순서를 거꾸로 하여 수를 써 보세요.

9 8 7 6 5 4

16 15 14 13 12 11

30 수백판 워크북1

4 2부터 3씩 뛰어 세면서 선으로 이어 보세요.

2 11 8 20 14 5 17

5 가장 작은 수부터 순서대로 쓰세요.

9 6 4 → 4 – 6 – 9

16 18 13 → 13 – 16 – 18

6 글을 읽고 □ 안에 알맞은 수를 써넣으세요.

- 10개씩 묶음 1개와 낱개 6개인 수보다 큰 수
- 20보다 작은 수

17, 18, 19

1부. 20까지의 수 31

정답과 해설

p.32 ~ p.33

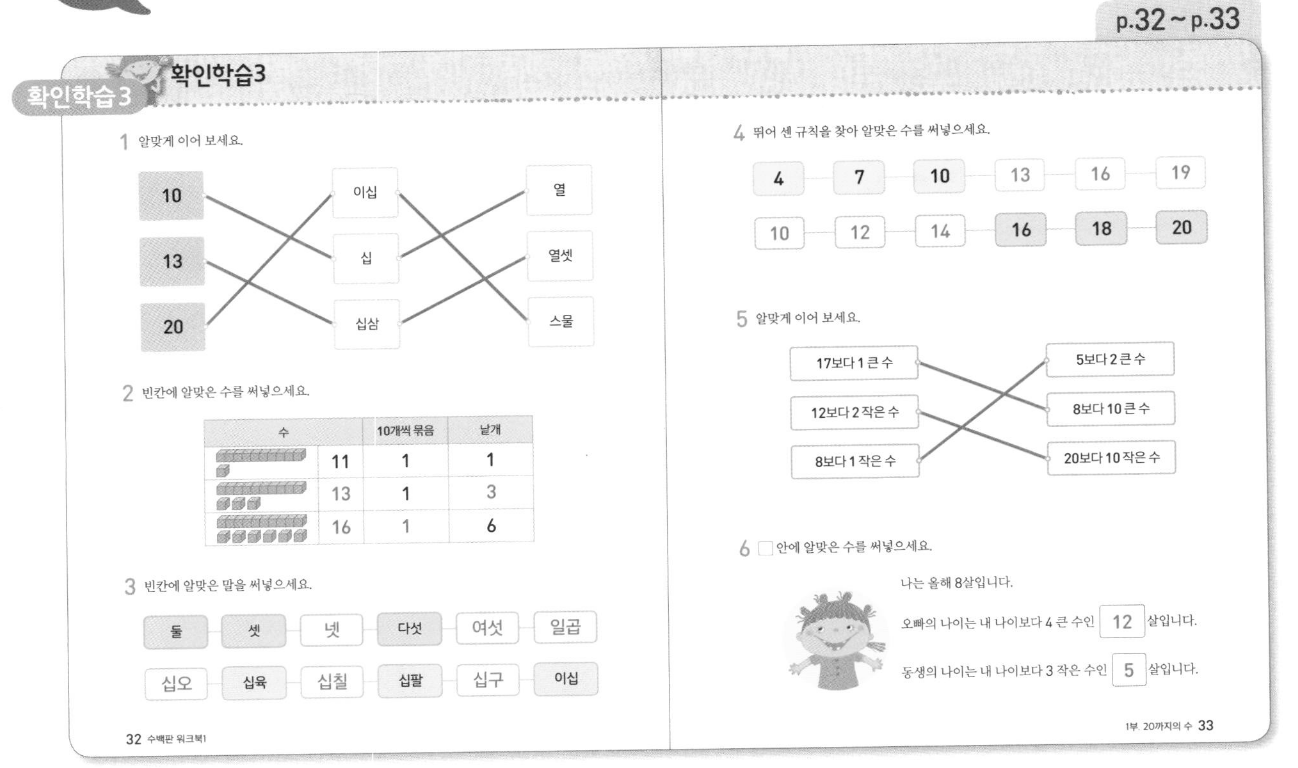

p.37

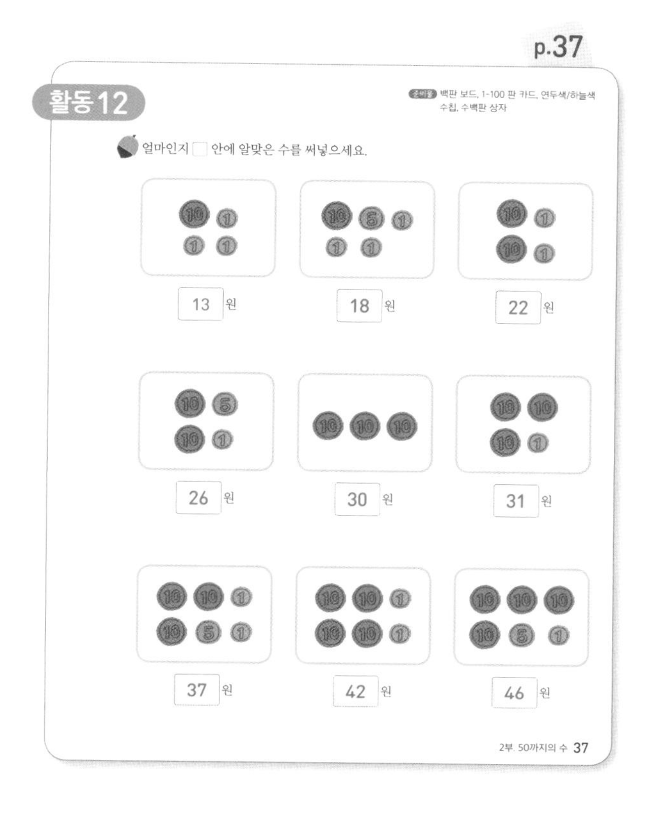

활동 12

준비물 백판 보드, 1-100 판 카드, 연두색/하늘색 수칩, 수백판 상자

얼마인지 □ 안에 알맞은 수를 써넣으세요.

13 원 | 18 원 | 22 원

26 원 | 30 원 | 31 원

37 원 | 42 원 | 46 원

2부 50까지의 수 37

p.39

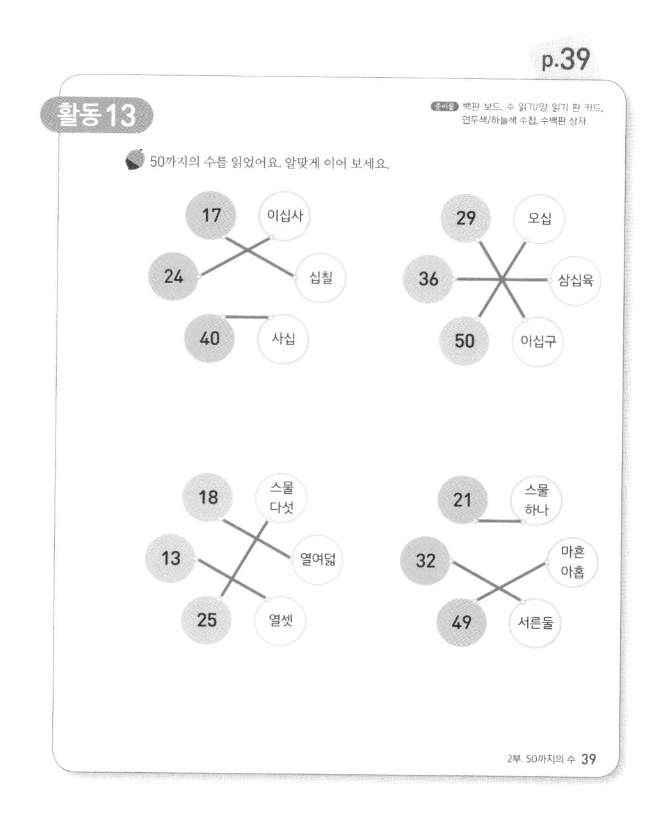

활동 13

준비물 백판 보드, 수 읽기/양 읽기 판 카드, 연두색/하늘색 수칩, 수백판 상자

50까지의 수를 읽었어요. 알맞게 이어 보세요.

2부 50까지의 수 39

p.41

활동 14

준비물 백판 보드, 연두색/하늘색 수칩, 수백판 상자

순서에 맞게 빈칸에 알맞은 수를 써넣으세요.

1	14	15	28	29	42	43
2	13	16	27	30	41	44
3	12	17	26	31	40	45
4	11	18	25	32	39	46
5	10	19	24	33	38	47
6	9	20	23	34	37	48
7	8	21	22	35	36	49

먼저 규칙을 찾아볼까? 어떤 규칙일까?
1부터 순서대로 수를 따라가며 빈칸을 채워 봐!

2부 50까지의 수 41

p.43

활동 15

준비물 백판 보드, 연두색/하늘색 수칩, 수백판 상자

주어진 범위의 수 중에서 없는 수 하나를 찾아 □ 안에 써넣으세요.

21부터 30까지의 수

23	27	22
21	29	25
26	30	24

없는 수: 28

34부터 50까지의 수

35	48	44	41
43	40	49	36
46	38	34	45
37	50	42	39

없는 수: 47

2부 50까지의 수 43

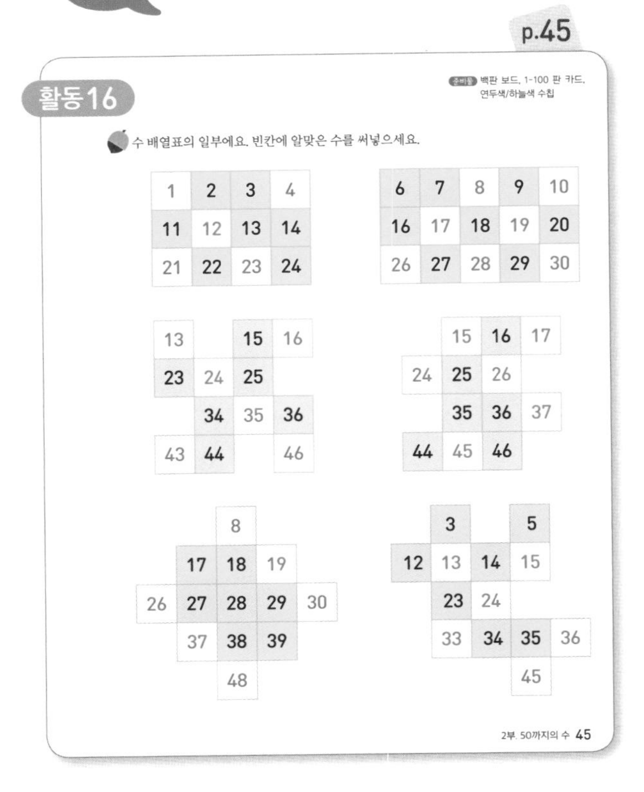
p.45

활동16

준비물 백판 보드, 1-100 판 카드, 연두색/하늘색 수칩

수 배열표의 일부예요. 빈칸에 알맞은 수를 써넣으세요.

1	2	3	4
11	12	13	14
21	22	23	24

6	7	8	9	10
16	17	18	19	20
26	27	28	29	30

13		15	16
23	24	25	
	34	35	36
43	44		46

	15	16	17
24	25	26	
	35	36	37
44	45	46	

		8		
	17	18	19	
26	27	28	29	30
	37	38	39	
		48		

	3		5	
12	13	14	15	
	23	24		
	33	34	35	36
			45	

2부 50까지의 수 45

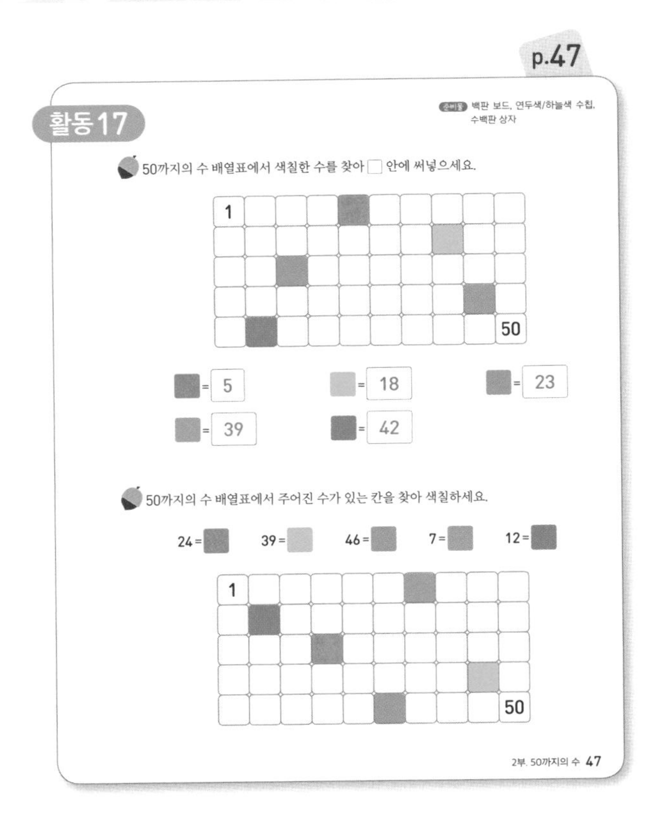
p.47

활동17

준비물 백판 보드, 연두색/하늘색 수칩, 수백판 상자

50까지의 수 배열표에서 색칠한 수를 찾아 □ 안에 써넣으세요.

1 … 50

= 5 = 18 = 23 = 39 = 42

50까지의 수 배열표에서 주어진 수가 있는 칸을 찾아 색칠하세요.

24 = 39 = 46 = 7 = 12 =

1 … 50

2부 50까지의 수 47

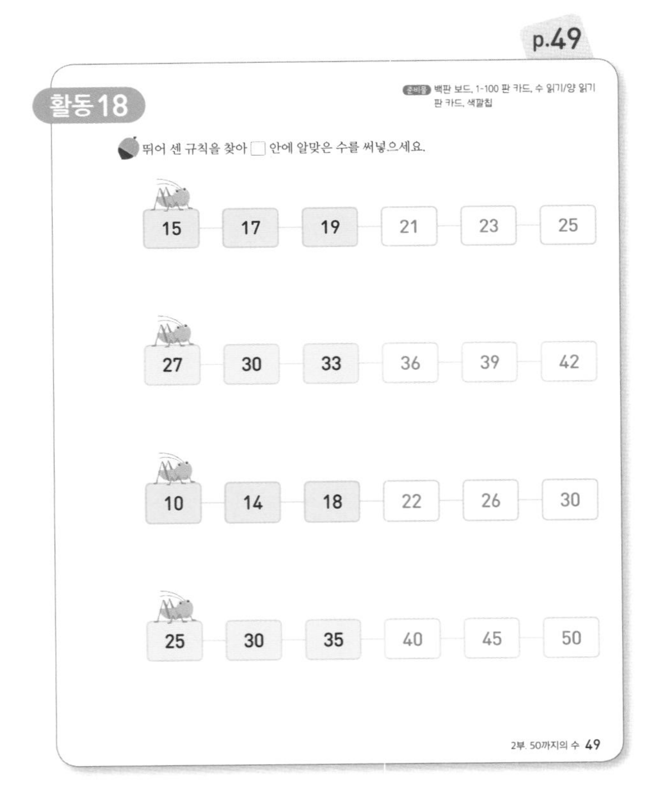
p.49

활동18

준비물 백판 보드, 1-100 판 카드, 수 읽기/양 읽기 판 카드, 색깔칩

뛰어 센 규칙을 찾아 □ 안에 알맞은 수를 써넣으세요.

15 17 19 21 23 25

27 30 33 36 39 42

10 14 18 22 26 30

25 30 35 40 45 50

2부 50까지의 수 49

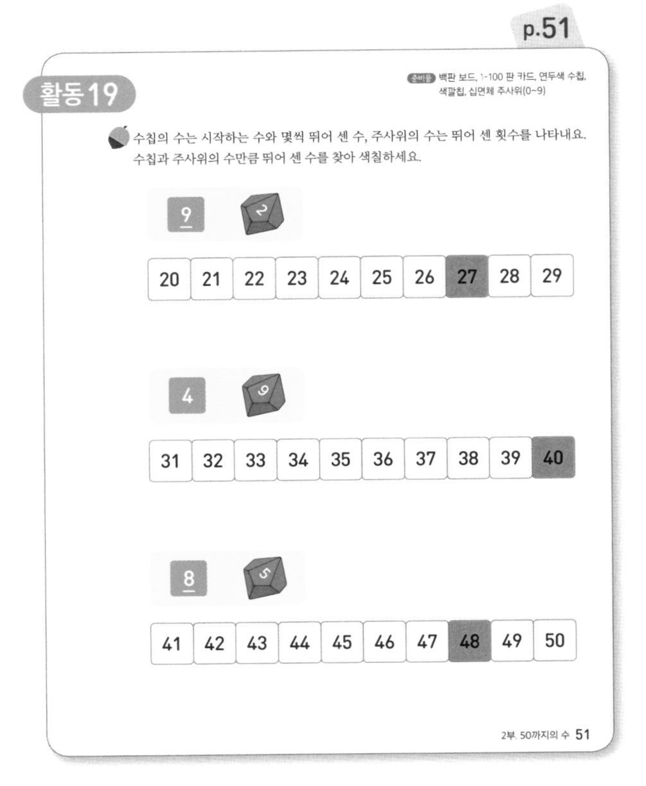
p.51

활동19

준비물 백판 보드, 1-100 판 카드, 연두색 수칩, 색깔칩, 십면체 주사위(0~9)

수칩의 수는 시작하는 수와 몇씩 뛰어 센 수, 주사위의 수는 뛰어 센 횟수를 나타내요. 수칩과 주사위의 수만큼 뛰어 센 수를 찾아 색칠하세요.

9 2

20	21	22	23	24	25	26	27	28	29

4 9

31	32	33	34	35	36	37	38	39	40

8 5

41	42	43	44	45	46	47	48	49	50

2부 50까지의 수 51

p.53

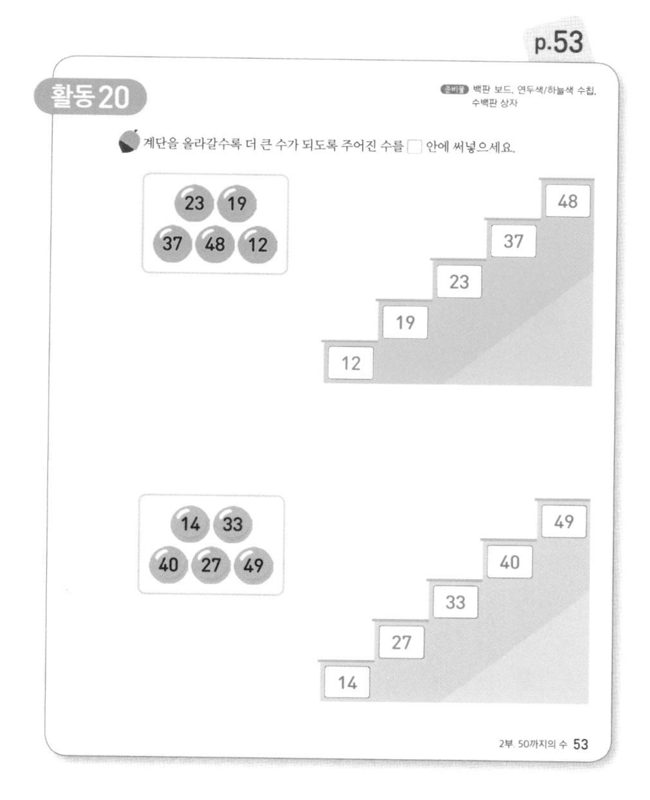
활동 20

준비물 백판 보드, 연두색/하늘색 수칩, 수백판 상자

계단을 올라갈수록 더 큰 수가 되도록 주어진 수를 □ 안에 써넣으세요.

23, 19, 37, 48, 12

12, 19, 23, 37, 48

14, 33, 40, 27, 49

14, 27, 33, 40, 49

2부 50까지의 수 53

p.55

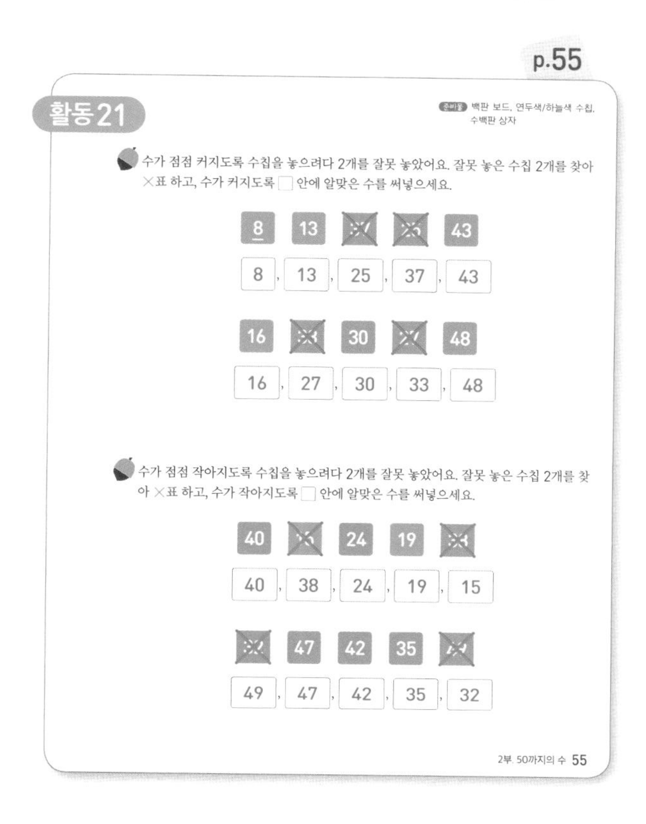
활동 21

준비물 백판 보드, 연두색/하늘색 수칩, 수백판 상자

수가 점점 커지도록 수칩을 놓으려다 2개를 잘못 놓았어요. 잘못 놓은 수칩 2개를 찾아 ×표 하고, 수가 커지도록 □ 안에 알맞은 수를 써넣으세요.

8, 13, 43

8, 13, 25, 37, 43

16, 30, 48

16, 27, 30, 33, 48

수가 점점 작아지도록 수칩을 놓으려다 2개를 잘못 놓았어요. 잘못 놓은 수칩 2개를 찾아 ×표 하고, 수가 작아지도록 □ 안에 알맞은 수를 써넣으세요.

40, 24, 19

40, 38, 24, 19, 15

47, 42, 35

49, 47, 42, 35, 32

2부 50까지의 수 55

p.57

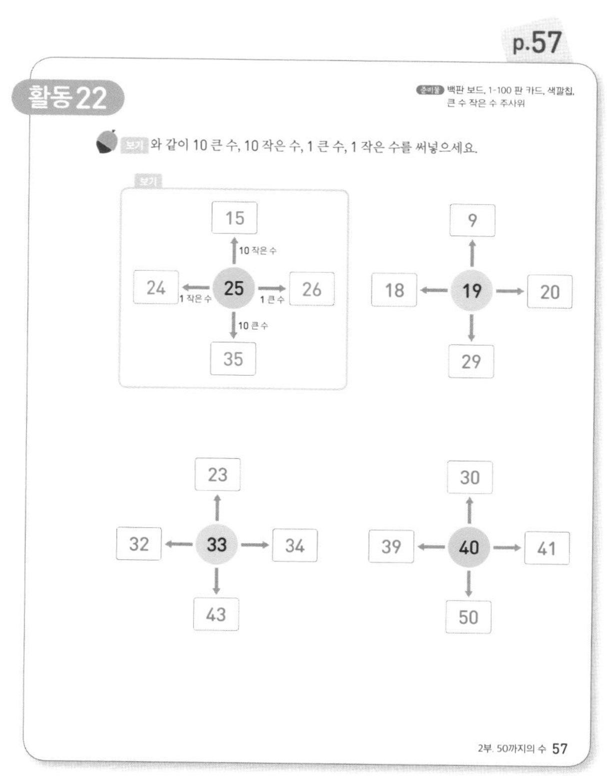
활동 22

준비물 백판 보드, 1-100 판 카드, 색깔칩, 큰 수 작은 수 주사위

보기 와 같이 10 큰 수, 10 작은 수, 1 큰 수, 1 작은 수를 써넣으세요.

보기

2부 50까지의 수 57

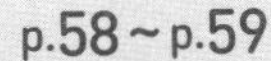
p.58 ~ p.59

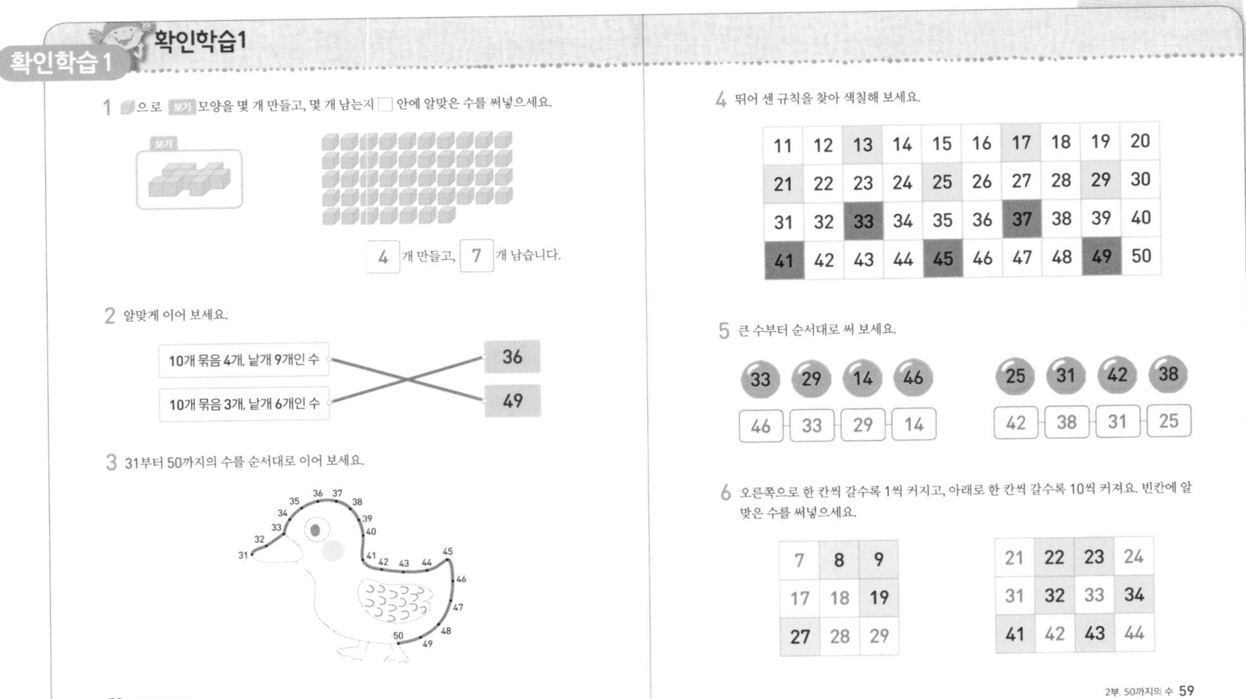

확인학습 1

1 [블록]으로 보기 모양을 몇 개 만들고, 몇 개 남는지 □ 안에 알맞은 수를 써넣으세요.

4 개 만들고, 7 개 남습니다.

2 알맞게 이어 보세요.

10개 묶음 4개, 낱개 9개인 수 — 49
10개 묶음 3개, 낱개 6개인 수 — 36

3 31부터 50까지의 수를 순서대로 이어 보세요.

4 뛰어 센 규칙을 찾아 색칠해 보세요.

11	12	13	14	15	16	17	18	19	20
21	22	23	24	25	26	27	28	29	30
31	32	33	34	35	36	37	38	39	40
41	42	43	44	45	46	47	48	49	50

5 큰 수부터 순서대로 써 보세요.

33 29 14 46 → 46, 33, 29, 14
25 31 42 38 → 42, 38, 31, 25

6 오른쪽으로 한 칸씩 갈수록 1씩 커지고, 아래로 한 칸씩 갈수록 10씩 커져요. 빈칸에 알맞은 수를 써넣으세요.

7	8	9
17	18	19
27	28	29

21	22	23	24
31	32	33	34
41	42	43	44

p.60 ~ p.61

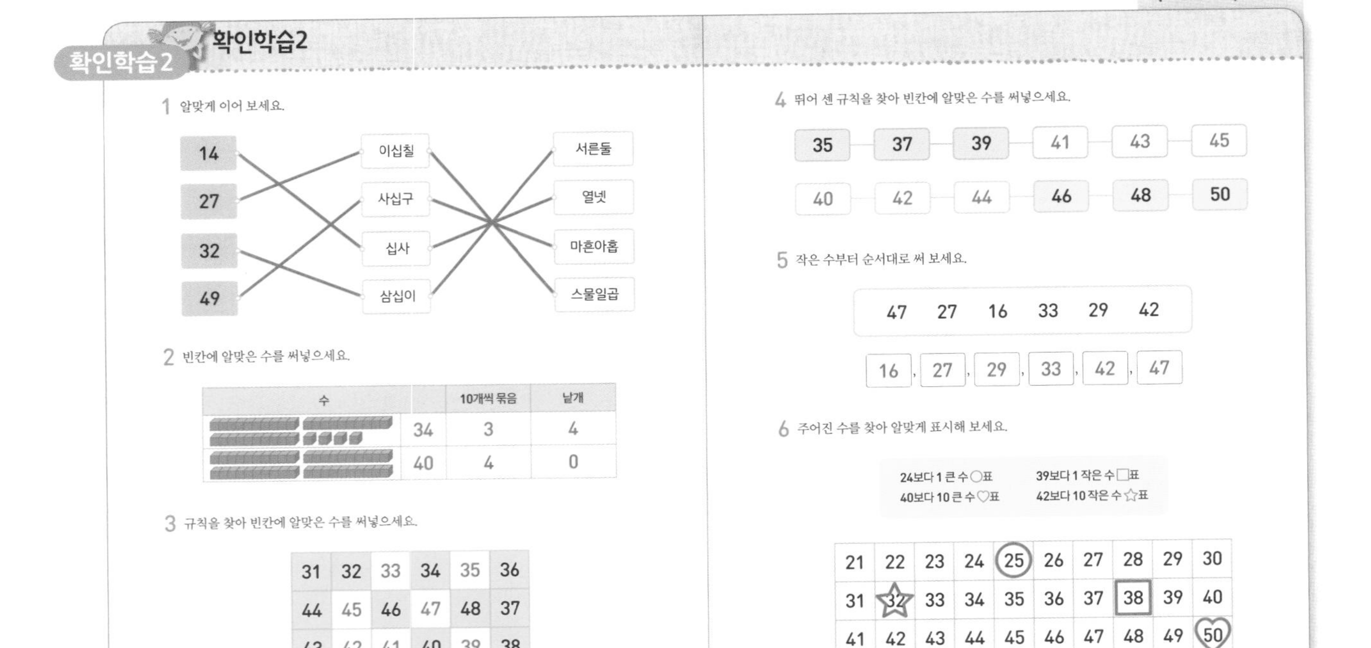

확인학습 2

1 알맞게 이어 보세요.

14 — 십사 — 열넷
27 — 이십칠 — 스물일곱
32 — 삼십이 — 서른둘
49 — 사십구 — 마흔아홉

2 빈칸에 알맞은 수를 써넣으세요.

수		10개씩 묶음	낱개
[블록]	34	3	4
[블록]	40	4	0

3 규칙을 찾아 빈칸에 알맞은 수를 써넣으세요.

31	32	33	34	35	36
44	45	46	47	48	37
43	42	41	40	39	38

4 뛰어 센 규칙을 찾아 빈칸에 알맞은 수를 써넣으세요.

35 — 37 — 39 — 41 — 43 — 45
40 — 42 — 44 — 46 — 48 — 50

5 작은 수부터 순서대로 써 보세요.

47 27 16 33 29 42

16, 27, 29, 33, 42, 47

6 주어진 수를 찾아 알맞게 표시해 보세요.

24보다 1 큰 수 ○표
39보다 1 작은 수 □표
40보다 10 큰 수 ♡표
42보다 10 작은 수 ☆표

21	22	23	24	(25)	26	27	28	29	30
31	☆32	33	34	35	36	37	□38	39	40
41	42	43	44	45	46	47	48	49	♡50

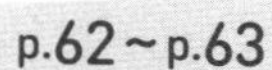

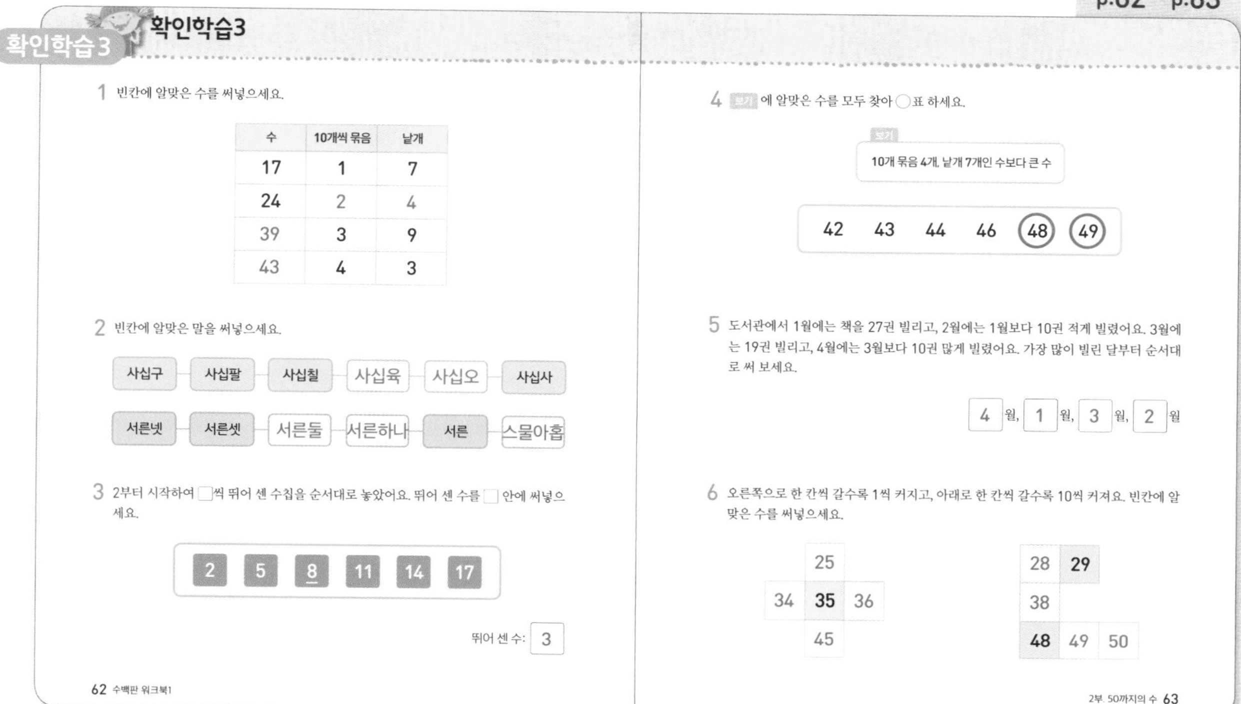

확인학습3

확인학습3

1 빈칸에 알맞은 수를 써넣으세요.

수	10개씩 묶음	낱개
17	1	7
24	2	4
39	3	9
43	4	3

2 빈칸에 알맞은 말을 써넣으세요.

사십구 – 사십팔 – 사십칠 – 사십육 – 사십오 – 사십사

서른넷 – 서른셋 – 서른둘 – 서른하나 – 서른 – 스물아홉

3 2부터 시작하여 □씩 뛰어 센 수칩을 순서대로 놓았어요. 뛰어 센 수를 □ 안에 써넣으세요.

2 5 8 11 14 17

뛰어 센 수: 3

62 수백판 워크북1

4 보기 에 알맞은 수를 모두 찾아 ○표 하세요.

보기: 10개 묶음 4개, 낱개 7개인 수보다 큰 수

42 43 44 46 (48) (49)

5 도서관에서 1월에는 책을 27권 빌리고, 2월에는 1월보다 10권 적게 빌렸어요. 3월에는 19권 빌리고, 4월에는 3월보다 10권 많게 빌렸어요. 가장 많이 빌린 달부터 순서대로 써 보세요.

4 월, 1 월, 3 월, 2 월

6 오른쪽으로 한 칸씩 갈수록 1씩 커지고, 아래로 한 칸씩 갈수록 10씩 커져요. 빈칸에 알맞은 수를 써넣으세요.

	25	
34	35	36
	45	

28	29	
38		
48	49	50

2부 50까지의 수 63

씨투엠 지식과상상 since 2013 연구소

교재 소개 및 난이도 안내

*일부 교재 출시 예정입니다.

하 중 상

분야	소개	교재	대상
도형	도형 학습 스타트	**플라토**	6세 ~ 초6
도형	도형 수준 레벨업	**플라토X**	6세 ~ 초6
연산	연산의 새로운 기준	**칸토의 연산**	5세 ~ 초6
연산	연산으로 상위권 점프	**응용연산**	6세 ~ 초6
서술형	수학 실력은 결국 독해력	**수학독해**	6세 ~ 초6
사고력	반드시 필요한 사고력만	**팡세**	6세 ~ 초6
예비 초등 수학	쉽게, 빠르게, 재미있게	**구구단**	5세 ~ 초2
예비 초등 수학	저학년 시간 학습 준비 끝	**시계와 달력**	5세 ~ 초2
예비 초등 수학	꼭 알아야 할 실생활 수학	**길이와 화폐**	5세 ~ 초2
예비 초등 수학	기초 튼튼, 개념 탄탄	**분수**	5세 ~ 초2

모 델 명: 수백판 워크북1
제조년월: 초판 2쇄 2022년 10월 | 제조자명 : ㈜씨투엠에듀
주소 및 전화번호 : 경기도 수원시 장안구 파장로 7(태영빌딩 3층) / 031-548-1191
제조국명: 한국 | 사용연령 : 만 5세 이상

이 책의 전부 또는 일부에 대한 무단전재와 무단복제를 금합니다.

홈페이지 : www.c2medu.co.kr | 지원카페 : cafe.naver.com/fieldsm

값 7,500원

ISBN 979-11-6229-461-1
ISBN 979-11-6229-460-4